JUBILEUMPOCKET

KEES VAN KOOTEN

De ergste treitertrends
Koot droomt zich af
Koot graaft zich autobio
Veertig
Modermismen
Hedonia
Meer modermismen
Meest modermismen
Zwemmen met droog haar
Verplaatsingen

DE BEZIGE BIJ

Dr. Kees van Kooten
ZEVEN SLOTEN
Zes uitstapjes

1994
DE BEZIGE BIJ
AMSTERDAM

Deze zes verhalen (en drie gedichten) werden niet eerder gepubliceerd in boekvorm. NAAR DELFT HEEN, NAAR AMERIKA TERUG en EEN ABSTRACT GEVOEL verschenen eerder in *Humo*, *Holland Herald* en *Vrij Nederland* en werden grotendeels herschreven.
In deze bundel legt de schrijver tevens verantwoording af van de wijze waarop hij de ƒ 15.000 besteedde die hem in 1987 als Publieksprijs werd toegekend door de CPNB.

Copyright © 1988 Kees van Kooten
Eerste druk september 1988
Tweede druk oktober 1988
Derde druk december 1988
Vierde druk december 1988
Vijfde druk maart 1989
Zesde druk juli 1989
Zevende druk maart 1993
Achtste druk (De Bezige Bij Jubileumpocket) 1994
Omslag Leendert Stofbergen
Foto voorzijde Roel Bazen
Foto achterzijde Eddy Posthuma de Boer
© C. Domela 1988 c/o Beeldrecht, Amsterdam
Druk Knijnenberg bv Krommenie
ISBN 90 234 2437 9 CIP
NUGI 300

Voor Kim

INHOUD

KLAPLAARZEN

Een fotoboek over Den Haag, in de jaren vijftig.
Ik sla een bladzij om, een hoek,
ik stap een straat in en begin te lopen.
Het is woensdagmiddag en met zeven jongens
volgen wij het spoor van de indianenverhalen –
er stond een koekfabriek in brand
er was een vissersboot gestrand
er dreef een vrouw in het kanaal
er was een vrachtwagen gekanteld
en een paard op hol geslagen
en ergens stonden twee honden
die voor straf niet meer los konden.

Maar altijd viel het tegen.
Zelden zagen wij meer dan langere jongens,
die vechten wilden, om ons burgemeester te maken:
dan trokken ze je broek uit
als de zon begon te zakken.

Wat hoor ik toch op deze foto's?
Er vaagt wat langs mijn benen,
het plokt, het sopt, dat was het:

wij hollen weg en met doffe pletsen
kletsen onze blote schenen tegen
de natte binnenkant van de kaplaarsrand,
want van thuis moesten wij
vantevoren onze kousen uit.

Die klapperende kaplaarzen maakten
mijn eerste vrije geluid.

NAAR DELFT HEEN

(Een opstel uit 1950)

Wij wouden naar Delft heen gaan en ik wist hoe wij moesten fietsen, omdat ik al een keer eerder naar Delft heen had gefietst. Samen met mijn vader.

Maar toen hadden wij Delft niet gehaald omdat ik in Wateringen een lekke band kreeg en wij geen spullen voor te plakken bij ons hadden, wat niks voor mijn vader was. Het was geluk dat mijn vader zo goed met twee fietsen kan fietsen. Hij had mijn fiets aan zijn rechterhand, dat die zo met ons mee-stuitte en ik zat bij hem achterop met mijn handen in de zakken van zijn jas en mijn hoofd scheef tegen zijn rug. Ik deed liedjes op de maat van de straat en daarom keek ik niet goed hoe de weg naar Delft heen ging die wij toen weer terugreden. Ik wist het wel een beetje maar niet helemaal precies meer meer.

Ik zou met Eddie gaan en met Ronald als hij mocht. Want het ging erom of Ronald zijn moeder ging merken wat er met haar vaas gebeurd was.

Ronald zijn moeder had die vaas gehad voor haar geboorte, van hun oom en tante uit Amerika. Hij was rond en zo groot als een drietje. En het won-der van die vaas was dat hij van glas was dat niet kon breken. Daar sloofde Ronald altijd mee uit.

Ja je zuster op een houtvlot, zeiden Eddie en ik. Want wij geloofden er geen barst van dat het waar was van dat glas. Wij zeiden dat Ronald hun zijn vaas niet op de grond zou durven te laten te vallen. Dat dat de knijp was, ulla ulla. En wij zeiden heb het hart eens Ronald. Toen hebben wij het eerst bij hun in de voorkamer getest, of het waar was.

Ronald liet de vaas dus van de tafel vallen. Maar hij gaf hem eigenlijk meer een zet, dat hij er afrolde en daar ligt bij hun thuis een dik kleed onder, uit Egypte zegt Ronald. Dus Eddie en ik vonden dat dat niet telde.

Ronald vond van wel. Hij zei dat als het wel brekelijk glas had geweest de vaas nou kapot zou zijn. Omdat hij uit Amerika kwam waar nooit een vaas brak omdat ze alles onbreekbaar maken in Amerika. En dat wij het homp konden krijgen. Laat hem dan eens in de keuken op het zeil vallen als je durft, zeiden wij toen en eerst wou Ronald niet maar Eddie en ik zeiden dat hij dan morgen, wat vandaag dus gisteren is, dat hij dan ook niet meemocht naar Delft heen. En dat hij kon kiezen of kabelen.

Dus toen gingen wij naar de keuken, met de vaas voorop. Daar is Ronald toen op de aanrecht geklommen en heeft de vaas van bovenaf zijn hoofd losgelaten. Wij schrokken ons het apezuur! Jezusmina wat een klap was dat! En het mooiste was nog Ronald had net een hersenschunning gehad!

Eddie holde meteen de keuken uit en de trap af en de deur door en naar huis toe. Ik heb Ronald nog geholpen met als een achterlijke alle scherven en splinters bij elkaar te vegen, want wij knepen hem dat zijn moeder zou thuiskomen van boodschappen doen of de buurvrouw vragen wat die klap was of aan de hand, want Ronald bleef alsmaar door maar op zijn hurken zitten huilen. Ik dacht dat zijn moeder meteen zou zien dat de onbreekbare vaas was gebroken, dus dat hij niet meemocht Ronald, naar Delft heen.

Goed nieuws! Ronald ging wel mee naar Delft heen! Want toen zijn moeder thuiskwam had zij niks anders gezien in de kamer! Terwijl die vaas al altijd middenop hun tafel staat!

Dat had ik laatst ook, toen mijn vader een andere bril had gekregen van De Volharding. Mijn moeder vroeg toen ik uit school kwam of ik niks nieuws aan mijn vader zag en die ging middenin de keuken zitten. Hij draaide ook nog zijn hoofd heel langzaam naar links en naar rechts maar ik nog steeds niks zien! Terwijl het een hele andere bril was. Ja toen ze het zeiden, toen natuurlijk wel.

Ik wou mijn vader nog zeggen dat hij niet moest denken dat ik minder van hem hield omdat ik het niet meteen gezien had van zijn nieuwe bril, maar dat vond ik kinderachtig staan dus heb ik niet gedaan, alleen maar laten merken.

Maar geluk dat Ronald zijn moeder niet had gemerkt dat haar vaas pissig was, anders had hij niet meegekund.

Wij hadden niet gezegd dat wij naar Delft heen gingen. Alleen dat wij een eind gingen fietsen. Dat vinden ze altijd goed in de vakantie, als je zegt dat je een eind gaat fietsen. Fijn zo, zeggen ze dan. Gaan jullie maar lekker een eind fietsen. Maar als je zegt dat je naar Delft heen gaat fietsen dan mag het ineens niet vaak.

Terwijl een hele dag fietsen naar de rubberfabriek van Vredestein in Loosduinen om te zien of er kapotjes in de sloot drijven of naar Ockenburg en Overvoorde en dan het hele Zuiderpark door, dat geeft niks en vinden ze altijd goed en dan fiets je wel tien keer zo veel dan naar Delft heen en terug.

Eddie zegt dat iedereen bij Vredestein wil werken, omdat ze net zoveel kapotjes mee naar huis mogen nemen als ze zin in hebben!

Misschien dat het een andere stad is Delft, dat ouders daar bang voor zijn. Want Delft is, van Den Haag, het verste weg van wat er nog dichtbij is. Delft is twee keer zo dichtbij dan Leiden. Daar gaan wij ook nog een keer heen fietsen, maar dan moeten wij eerst op Delft trainen.

Wij hadden afgesproken dat wij alle drie tien boterhammen van huis meenamen. En Eddie heeft een

14

fles met een beugel, die niet kan lekken, door de dop. Het was klotig dat wij nog geen lange broek hadden, maar andersom konden wij nu goed zien of onze kuiten al dikker waren als wij in Delft waren, want wij willen alle drie graag kuiten met meer spierballen. Stierballen, zegt Eddie altijd.

Voor de rest wisten wij eigenlijk niet waarom wij naar Delft heen gingen. Dan om te vertellen dat wij naar Delft heen waren geweest. Maar dat zouden ze vanzelf wel zien aan onze dikkere kuiten. Wij zouden bij elkaar komen op de hoek van de Vreeswijkstraat, maar dan net om de hoek, in het eerste portiek op de Leyweg. Dat onze moeders ons niet konden zien staan als ze de tafellakens uitklopten uit het bovenraam. Ik woon op driehoog en Eddie en Ronald allebei op de tweede.

Ik stond er het eerste, om negen uur al. Dat geeft een raar gevoel in de vakantie, zo laat, omdat je dan anders op school zit.

Ronald kwam tweedst. Hij keek helemaal niet of het vakantie was. Had zijn moeder het dan gemerkt dat de onbreekbare vaas was gebroken? Nee maar dat was nou juist het rottige! Want hoe moest hij dan vanavond thuiskomen als zijn moeder het had uitgevonden onderwijl dat wij in Delft waren?

Daarom had die pielemoos zijn spaarpot leeg geschud. Dat is een koperen spaarpot van de Nutsspaarbank. Met een gleuf waar je een mes in moet steken en dan heel voorzichtig op zijn kant heen en weer wiebelen, dat het geld over dat mes naar buiten kan, of ze op een glijbaan liggen. Hij had vierentachtig cent gehaald. Daar wilde Ronald iets van voor zijn moeder kopen onderweg.

Dan moet je iets van Dellufts Blaauws kopen, zei Eddie. Die kwam pas om half tien maar hij had geen brood bij zich omdat hun brood net op was thuis. Zei die. Hij had zelf de laatste opgegeten, het kontje. Eddie heeft het altijd over kontje. Wij zeggen thuis gewoon kapje tegen de laatste boterham. En elke dag zegt Eddie een keer van Mijn vader heeft haar op zijn worst, door zijn mond heel wijd te maken, in de hoeken, met zijn wijsvingers. Dat je moppen over je eigen vader maakt, dan moet je ook wel een gaatje in je hoofd hebben. Nou dan moesten wij maar gaan.

Hij had gelukkig wel zijn beugelfles mee, met water, en dan kreeg hij in Delft wel een boterham van mij of eentje van Ronald ze. Die aten wij dan op waar het mooiste was. Dat wisten wij pas als wij er waren natuurlijk en dan zouden wij stemmen. Daarom was het ook zo goed dat wij met ons drieën waren, dat wij goed over alles konden stemmen.

Enkel met fietsen was het link want dan kreeg je een bekeuring. Wij gingen dus steeds fietsen met twee voor en de derde jongen daar meteen achter of meer half er tussen. Dat is gezelliger dan achterstevoren. Dat zie je meestens als het een meisje en twee jongens zijn. Dan fietst die ene jongen voor en de

16

andere jongen hand in hand met dat meisje er achter, wat die ene jongen niet kan zien omdat hij voor ze uitrijdt. Maar anders natuurlijk wel en zij niet kunnen zoenen.

Ik wist hoe wij moesten rijden. Eerst de hele Leyweg af. Daar staat altijd wind tegen. Dan door Wateringen heen en daar begon je vanzelf de pindakaas van de Calvéfabriek te ruiken. Daar moet je gewoon achteraan blijven rijden en dan kom je recht in Delft. In Delft moet je goed uit je doppen kijken dat je niet verdwaalt, want dat zijn alleen maar stegen en bruggen en grachtjes, allemaal dwars door elkaar. Eddie zegt dat er heel veel hoeren zitten in Delluft. Bij al die hoeren ligt een klein jongetje vastgebonden op hun buik zegt hij. Dat wisten Ronald en ik niet. Waarom was dat dan? Dat is tegen de ziektes, zegt Eddie. Dat die hoer geen bacteries naar binnen krijgt, want die houden al die jongetjes dus voor die hoeren tegen. Meestal zijn het jongens van vijf en zes jaar oud. Hoe jonger te beter. Die liggen de hele dag vastgebonden. Alleen als de hoer een klant krijgt, dan mogen ze even los. Als het een aardige hoer is krijgen ze dan een dubbeltje voor een vanilleroomijsblok van Jamin te gaan kopen. Maar zodra de klant weg is worden ze weer vastgebonden op de buik van de hoer, voor de besmetting. En omdat ze hoerejongetjes zijn mogen ze niet naar school dus leren ze ook geen lezen en schrijven en krijgen ze nooit gymnastiek. Dat had Eddie allemaal van zijn oom, want die was melkboer in de hoerenbuurt geweest. Toen deed hij weer zo met zijn mond en zei hij: Mijn oom is een melkhoer.

Wij hadden de hele weg al regen, maar toen wij Wateringen in reden begon het te plenzen. Dat was geluk, want wij hadden Eddie zijn fles al helemaal leeg, zoals wielrenners altijd drinken in de krant. Wij hielden stop en wij probeerden onze fietsen recht tegen elkaar te zetten maar dat ging niet. Omdat Ronald met een meisjesfiets was, van zijn zuster. Die bij Vredestein werkt.

Toen legden wij onze fietsen neer aan de rand van een sloot. Het scheelde een haar van een kale neger of de mijnes gleed nog van de kant af ook!

Ik zei dat ik kon zien dat die sloot een zijsloot van de Schie was dus dat wij goed gingen. Maar in het echt wist ik niet meer waar wij waren. Ik moest een plas in die sloot en toen keek ik gauw of ik nergens de scheve toren van de Ouwe Jan zag boven de kassen. Mijn vader zegt dat je op een gepaald moment de Ouwe Jan ziet staan en dan ben je er bijna. Er is ook een spreekwoord die zegt: al ziet u de toren staan dan is de reis nog niet gedaan.

Dus het was geluk dat het zo regende, want nu hoefden wij alleen maar de dop van Eddie zijn fles te doen en rechtop te zetten en dan kregen wij vanzelf nieuw water voor te drinken.

Maar het duurde zeker een half uur voor er een

slok water in onze fles zat, waar wij om gingen stemmen en daarna loten. Eddie trok de langste graspriet, maar Ronald en ik hadden toch geen erge dorst.

Wij dachten ook nog dat er een bal dreef in het kroos, maar toen wij hem er eindelijk uithadden was het alleen maar de bovenste helft van een bal. Eddie won weer en zette hem op zijn hoofd, voor valhelm.

Ronald zei dat wij voor hem geeneens verder hoefden meer, naar Delft heen. Hij vond het hier in Wateringen ook best leuk. En ik hoefde ook niet zo hard meer naar Delft. Wij gingen erom stemmen en met driemaal nul stemmen zouden wij terug naar Den Haag fietsen. Ik dacht dan kan ik nog net de laatste drie platen van de Arbeidsvitaminen horen en mijn moeder staat nu in de voorkamer te strijken en mee te zingen.

Maar Ronald wou eerst nog zoeken of ze in Wateringen niks van Delfts Blauws te koop hadden. Wij kwamen een winkel van de Vivo tegen maar die had niks. Daarom kocht Ronald een grote gezinsdoos lucifers voor zijn moeder, van het merk Gong, dat wij niet hebben in Den Haag, dus daar zou ze wel bereblij mee zijn.

Toen wij weer buiten waren sprong Eddie meteen op zijn fiets en peerde hem. Wij moesten ons het mikmak trappen om hem in te halen en toen stapte Eddie gauw af en hij riep dat het gelukt was en hij liet ons een busje zien. Een busje met peper was het, dat had hij gejat in die winkel!

Toen gingen wij achter een schutje waar niemand was, alleen maar opgeschoten sla. Daar deed Eddie zijn broek naar beneden en hij probeerde om met de peperbus tussen zijn billen te komen. Ronald en ik vroegen waarom hij zo lijp deed. Nou omdat wij laatst bij hem op de trap zaten en ons zo verveelden en niks te doen hadden. Hoe toen Eddie zijn moeder had geroepen dat wij wat peper in onze kont nodig hadden en dat Ronald en ik toen naar huis waren gegaan en Eddie zijn moeder boodschappen doen? Dat hij toen het peperbusje had gepikt uit de keukenkast en goed veel op zijn wijsvinger gestrooid en die in zijn kont gestoken en meteen verrottes zin in hardlopen had gekregen en vier keer hun hele blok was gaan rondrennen! En hij ging twee keer zo hard dan gewoon, zwoor Eddie.

Ronald deed eerst zijn broek naar beneden en toen moest ik ook. Eddie zei dat wij op onze buiken moesten gaan liggen, want dan kon hij er makkelijker bij.

Nou strooi ik zoveel mogelijk tussen je kadetten en dan moet je het zelf naar binnen vegen want ik ben geen poot als je dat soms dacht, zei hij. Ik voelde er niks van toen Eddie strooide en ook niet toen ik de peper met mijn duim in mijn poepgat drukte, maar toen wij weer op de fiets zaten leek het of wij stukken harder dan de heenweg gingen, vooral op de Leyweg. Wij beloofden dat wij het aan niemand zouden verraden, het geheim van peper in je kont.

Toen wij onze straat binnenscheurden stonden er een paar jongens te priktollen op de middenweg. Ze vroegen waar wij geweest waren en wij zeiden in Delft.

Peter, die scheel is, vroeg of wij de Ouwe Jan hadden gezien.

Ik zei dat die weer veel schuiner stond dan de vorige keer dat ik in Delft was.

Ronald zei dat ze in Delft bang waren dat hij morgen zou omvallen.

Eddie zei dat wij een hele groep Dellufters waren tegengekomen die aan het vluchten waren naar Den Haag en Rotterdam, om niet onder de Ouwe Jan te komen.

Een andere jongen, Rudie, vroeg of hij een keer met ons meemocht, want hij werd volgend jaar jarig en dan kreeg hij de fiets van zijn zuster, die bij Vredestein ging werken en toch elke dag met de bus naar Loosduinen.

Maar we zeiden dat er niemand anders met ons meemocht, omdat naar Delft heen te ver was en te gevaarlijk.

LEEFLEZEN

Jongens jongens jongens jongens
jongens jongens en een of twee meisjes
achter wie wij aanfietsten,
want wij durfden niet
naast ze te rijden;
alleen hard erlangs terwijl wij keken
naar de neuzen van onze sandalen
op de blokken van onze pedalen.

De volgende morgen kerfde ik
haar initialen in de bank,
waaronder Dick Bos werd doorgegeven.
En ik schreef 11 september 1954
rechtsbovenaan mijn blaadje
en keek lang naar buiten,
waar het leefde.
Drie jonge, bladloze gemeenteboompjes
aan een paal; om hun hals de strakke acht
van een verschoten soldatenkoppelriem,
tegen het omwaaien.

Wij kregen Nederlands en lazen
van geen jongen die wij wilden wezen,
van geen leven dat ons leuk leek,

van geen wereld waar wij hadden willen wonen.
Bleven wij nog lang alleen zo?
Jongens jongens jongens jongens
een hele tijd niks en dan mijnheren?

Liep er niemand door dit Letterland
die de klasdeur in kwam trappen,
de ramen los wou gooien
en ons openbreken zou?
Zodat al die onvoldoende jongensboeken
voorgoed in een doos
naar zolder konden?

Toen is er een jongen
op zijn eigen houtje
uit bladeren gegaan.
Over zijn toeren kwam hij terug
en liet ons lezen
waar hij ze had zien staan:
de woorden die wij zochten!
De jongenszielsverwante zinnen
die zeiden wat we waren en wat
we wilden maar best begrepen
dat niet kon – alle dagen feest
en hand in hand boven ons leven zweven;
jongens jongens jongens jongens
en altijd te weinig meisjes.
Maar die jongen te veel
wilde jij wel zijn,

als je er maar bij kon zijn
en meemocht wanneer ze
een standbeeld gingen opwinden.
Plus de volgende morgen
weer normaal naar school,
maar nu onkwetsbaar
door een geheim.

Sedertdien werd Remco Campert doorgegeven
onder banken waarop
niets meer werd geschreven,
want eindelijk stond het ergens.

Jongens jongens jongens jongens
op het eindexamenfeest in negentienzestig.
Drie hadden er een mes bij zich
en het mooiste meisje,
bij wie het thuis was en dat
Campert's verhaal net zo geilgelovig
als wij had gelezen,
verklaarde zich bereid om
met haar benen wijd
en haar petticoat omhoog
tegen de huiskamerdeur te gaan staan.
Tien minuten wachtte ze,
maar geen van de jongens
durfde de schrijver na te leven
en zijn mes te richten op
het topje van de hardboard wigwam

tussen haar benen.
En we gingen wel naar Parijs,
maar met onze ouders.

Tien jaar later waren alle jongens
getrouwd met meisjes van andere scholen
en zijn overal gaan wonen
en zijn in zaken gegaan
en hebben elkaar alles aangedaan.
Hun zonen mogen Campert lezen,
van hun scholen.
'Remco', mompelen de vaders.
Vannacht sloop er nog eentje
slapeloos zijn bed uit,
pakte een boek en
las zich een stukje tot jongen.
Toen kroop hij terug,
zijn vrouw vroeg wat er was
en hij zei:
ik had dorst schat.
Ben even wat wezen drinken,
van Remco Campert.
Ik wist niet dat je nog wakker lag,
gaapte zij.
En als we nou
die domme Telegraaf opzeggen
en de Volkskrant nemen,
dan hebben we hem elke donderdag.

TITELDEEMOED

Er is een tijd geweest, hij duurde ongeveer tachtig jaar, dat ik onpasselijk makend verliefd was op mijn latere vrouw.

Ik had haar een keer zien jiven in de Haagse Houtrustrotonde, op een Voddenbal van de Hogere Technische School. Vanaf die avond wist ik mij aan haar verslingerd. Zij had twee scheuren in haar rok geknipt en bij iedere draai zag ik haar bedwelmende benen, waar geen einde aan kwam.

Zelf kon ik niet dansen, dus drentelde ik, cynisch toeziend, van negen tot twaalf langs de oever van de vloer. Wanneer de Golden Earrings even pauze hielden, wandelde ik een tactisch stukje terug of verderop, om van zo dichtbij mogelijk haar nahijgende borsten te kunnen raden. Een strak angoratruitje was het, met korte mouwtjes en van een tint groen die ik niet kende. Ik dacht dat haar ogen dezelfde kleur hadden, maar om dit zeker te weten had ik haar recht moeten aankijken, wat ik niet durfde: daar was zij te mooi voor. Daarom probeerde ik elektrische trillingen naar haar uit te zenden, maar die sorteerden geen effect; de band zette in en daar ging zij weer. Zij had nog niet één keer naar mij gekeken. Ik had inmiddels al een paar maal de zaal

verlaten om een tijdje rond te hangen bij de Dames-
wc's, in de belachelijke verwachting dat zij als het
ware door mijn radiogolven naar de toiletten zou
worden gezogen en telkens wanneer ik onverrichter
zake naar de rand van de dansvloer was teruggekeerd, keek ik omstandig op mijn horloge, hopend
haar aldus wijs te maken dat ik wel wat anders aan
mijn hoofd had dan dat stomme dansen en dat ik
zojuist weer even met mijn vriendin was wezen tele-
foneren, die op sterven lag. Mijn wanhopige pogin-
gen om haar aandacht te trekken leidden tot niets:
zij zag mij eenvoudig niet staan.

Ik had intussen wel gehoord hoe die gast heette met
wie zij daar was. Het ging om ene Kees Banning. Hij
was een hoofd groter dan ik en tweedejaars elektro-
techniek. Na afloop van het feest zag ik haar bij hem
achterop klimmen en wegrijden; haar armen stijf
om zijn middel geslagen en haar hoofd, mijn kant
op, tegen zijn rug gedrukt. De volmaakte zwarte
Puch had Banning: hoog stuur, zwartgemoffeld
drielitertankje, potje met twee pijpjes.
    Ik bereed een Mobylette en kwam haar de daar-
opvolgende maandag tweemaal tegen. Dinsdag
idem dito, ik maakte deel uit van de karavaan scholieren die de andere kant opging. Onbegrijpelijk dat
zij mij nooit eerder was opgevallen! 's Ochtends fiet-
ste zij langs in een kakelend kluitje vriendinnen,
maar 's middags liet zij zich naar huis trekken door

Kees Banning. Zij droeg een hoofddoekje tegen de wind en kneep haar knieën tegen elkaar, om te voorkomen dat de tegenliggers inkijk hadden.

Die daagse aanblik van mijn vrouw, schuin voortsuizend naast een ander, was onverdraaglijk. Ik koos een parallelle weg naar school, maar kwam hier na een paar dagen van terug; ik zag haar liever aan de zijde van Kees Banning dan helemaal niet.

Ludduvuddu. Alleen de gedachte dat zij, zonder het zelf te weten, alvast mijn voornaam oefende, hield mij op de been.

Nu kocht ik een kleine pijp en een geruite pet, waar ik mij 's ochtends mee uitdoste alvorens de zeven kilometer lange Sportlaan af te brommen. Ik zag haar natuurlijk nog wel wanneer zij aan kwam fietsen, al op honderden meters afstand, maar liet niets merken. Zodra ik haar signaleerde zoog ik mijn zeventienjarige hoofd vol Clan-tabak uit mijn Pipopijpje van Big Ben en vlak voor het moment dat zij te midden van haar vriendinnen passeerde, stootte ik een toffeegeurige rookwolk uit die mij aan haar gezicht onttrok, maar waarin zij zou kunnen lezen dat wij voor elkaar waren bestemd.

De grote vakantie brak aan, zonder dat ik een woord had durven wisselen met het meisje van mijn dromen. (Nachten waarin zij twintig benen had, die zij een voor een om mij heen sloeg.)

Toen ik in september mijn dagelijkse rit over de

Sportlaan hervatte, zag ik haar niet langer in de tegenstroom scholieren. En het werd oktober en ze reed er nog steeds niet. Naar een andere school gegaan zeker. Maar zij wilde niet meer uit mijn hoofd. De eerste gedachten na het wakker worden draaiden om haar, elke dag opnieuw. Ik was haar kwijt, zij was weg, ik was alleen!

Een jaar later traden wij op met onze cabaretgroep Cebrah, voor de hoogste klassen van de HTS, in de Houtrustrotonde.

Ik voelde mij buitengewoon in vorm. Alle mensen, wat was ik leuk die avond!

Om na de voorstelling weer in de kleedkamer te komen, moesten wij de zaal doorkruisen en zo schreden wij, onze rekwisieten torsend, onder donderend applaus tussen het eerbiedig wijkende publiek door.

Mijn gelaatsuitdrukking was nog net zo cynisch-ironisch als tijdens dat vorige HTS-feest maar ging mij nu een stuk gemakkelijker af. Minzaam glimlachend liet ik mij de bewonderende blikken van de enthousiaste hagen welgevallen. En plotseling zag ik haar! Daar stond ze: nog steeds naast Kees Banning die Bravo! en Grandioos! riep. Zij riep niks. Klappen deed ze ook niet. Ze keek alleen maar. En nu keek ik terug, recht in haar ogen en tot op haar bodem. Zij sloeg ze als eerste neer. Inwendig jubelend zweefde ik verder, op een wolk van zekerheid; zij was het, zij was het en ik zat geramd, ik had het gezien!

Straks terug die zaal in, nonchalant met een pils-je. Vragen aan Banning of hij vroeger geen Puch had en dan zou hij mij wat te drinken aanbieden en als hij dat was gaan halen vroeg ik haar om haar telefoonnummer.

Acht jaar later gingen wij samenwonen op een huuretage in Amsterdam, waar wij vierentwintig-honderd gulden overnamekosten hadden moeten betalen voor twee Picasso-gordijnen en zij op een ochtend *de Volkskrant* liet zakken en zei:
    – Jemig! Weet je welke naam ik hier zie staan?
    – Nou? vroeg ik.
    – Kees Banning! riep ze en ze las: Ingenieur K. Banning verklaarde namens het Delftse bedrijf dat er geen sprake was van opzet, noch van techni-sche problemen.
    – Je kan nog terug hoor, zei ik.
    – Ja, ik zal daar gek zijn.
    – Ik wist geeneens dat hij Ingenieur was.
    – O nee? Al een jaar of twee.
    – Goh.
    – En de nieuwe films zijn er, zei ze, we moeten nog steeds naar Dr. Strangelove.

Dit was mij nog jaren blijven steken. Niet dat zij het had voorgelezen, maar dat ik zo'n hoge pet op had van de haagse jongens die waren gaan studeren en die nu Dr., Ir., Mr. of Drs. voor hun naam mochten zetten. Zou ik tot mijn dood aan titeldeemoed blijven lijden?

Op of omstreeks de negentiende november, onze trouwdag, plan ik ieder jaar een meerdaags uitstapje. Ik zeg vooraf nooit waar wij heen gaan en poog ook voor het overige zo verfrissend mogelijk op mijn vrouw over te komen. Op de ochtend van ons vertrek trek ik bij voorbeeld een in het geheim gekochte nieuwe broek aan. Of ik laat, voor de duur van het reisje, nu eens mijn snor en dan weer mijn baard staan.

Het vorige jaar, officieel ons negentiende, had ik mij daarentegen extra glad geschoren en verscheen ik in een prachtig donkerblauw-zwart gestreept kostuum aan het ontbijt, waarna zij zich weer helemaal ging omkleden, hoewel ik haar nariep dat dit nergens voor nodig was en ook omdat het even duurde voor ik mijn schoonouders (die op ons huis zouden passen terwijl onze kinderen een beetje op hen zouden letten) had uitgelegd hoe zij de videorecorder moesten bedienen, moest ik behoorlijk hard doorrijden om op tijd in Oostende te zijn, want ik had geboekt voor de veerboot van half twaalf.

    – Wat gaan we in godsnaam doen in Dover?

    – Dat zul je wel zien. Vind je het leuk?

    – Dat weet je best. Er bestaat niks heerlijkers, voor een vrouw.

    – Niks heerlijkers dan wat?

– Dan dit. Verrassingen, verwend worden. En zelf niet hoeven koken.

– Jammer dat het regent.

– Hoe lang blijven we weg?

– Dat hangt ervan af.

– Hangt waarvan af?

– Kan ik niet zeggen. Zal ik een hut huren?

– Voor die paar uurtjes?

– Nee, maar ik wil met je naar bed.

– Vanavond.

– Zo lang nog?

– Vanavond, na het eten.

– Voor het eten.

– Goed. Vanavond voor het eten.

Uit het van een vorige oversteek bewaarde plaatwerk *Derek Johanson's Recommended Hotels in Great Britain* had ik een romanties adres in Chartman Hatch gekozen; 'a relaxing Country House set in 5 acres and just 2 miles from Canterbury on the A28 Ashford Road, which makes an ideal base for touring this historic area'. Ook de 'log fires in winter' en het 'family-style dinner' hadden tot mijn verbeelding gesproken. Bovendien waren alle vijf comfortabele kamers uitgerust met een haardroger en een broekenpers. Thuis had ik nauwkeurig de kaart bestudeerd en met zeldzame vrucht: zonder iemand de weg te hoeven vragen zoefde ik glooiend naar Howfield Manor. Het was vijf uur en droog toen wij voorreden.

– Voilà mon amour! zei ik en met een slap en wereldwijs handje presenteerde ik haar een onberispelijk gerestaureerd landhuis.

– O schat wat mooi wat mooi! Hoe kom je hier aan? vroeg zij en de zon brak door.

– Het was vroeger een klooster, gidste ik; ik schat elfhonderdeenentachtig. Ik parkeerde onze auto tussen een oude Morris en een groene, strak onderhouden MG Midget met het gevoel de landelijkheid te beledigen wanneer ik hem hier op slot zou doen. Ik tilde onze koffer eruit en reikte mijn vrouw mijn andere arm.

Een lobbes van een eik overhuifde de voortuin. Links van Howfield Manor strekten zich tien voetbalvelden uit, zonder doelen, hoekvlaggen of lijnen. Dertig beuken, telde ik in de gauwigheid. Zoals altijd leken hun takken mij te drijven aan de stammen.

Wij schreden naar de voorhal en zij kneep mij in mijn zij. Voordat wij hadden aangebeld, werd de deur geopend door een lange, blonde veertiger met een vriendelijk, modieus bebrild gezicht. Zijn haar zat of hij er verkeerd op had gelegen. Hij droeg een donkerblauwe blazer, een overhemd en een das met leeuwen, een zandkleurige pantalon en een geruite theedoek, waarin hij een kopje wegmoffelde.

– Hello there! zei hij hartelijk, I am Melvin. Pleased to meet you. Come in, come in!

Ik begon hem te vertellen wie wij waren en dat ik

vorige week zijn vrouw had gesproken en een kamer met dubbel bed had gereserveerd, maar die mededelingen wuifde hij achteloos weg. Hij ging ons voor naar een grote, prachtig antiek gemeubileerde woonkamer, met een gastvrij knetterend haardvuur. Ik noem antiek prachtig als ik denk dat het echt is. In een clubfauteuil, bekleed met niet bestaande bloemen, zat een ongeveer zestig jaar oude man te snurken. Op zijn schoot lag, opengeslagen en ondersteboven, *Derek Johanson's Recommended Hotels in Great Britain*. Aan de andere kant van de haard zat, weggedoken in de hoek van een vijfzits chesterfield-canapé, een iets jongere dame, met blauw haar. Zij zette haar leesbril af, liet haar breiwerkje zakken en knikte ons angstig toe.

Gedempt, om hem niet te wekken, stelde Melvin hen voor als Mr. en Mrs. Morris – zijn enige gasten, buiten ons tweeën, dus dat het momenteel heerlijk rustig was, met het oog op mijn concentratie. En mocht hij dan nu onze kamer wijzen, want hij moest verder met koken. Mildred was niet lekker.

– Mildred?

– Yes, the wife.

– O yes, I remember.

– It's her leg. Always this time of the year.

Op weg naar boven passeerden wij drie erkertjes, met in elk een droogboeket. De wanden waren verlucht met het type prenten dat geen enkele aandrang tot bekijken in mij losmaakt: vossejachten

34

met perspectivisch te dwars over hagen springende paarden, en uit oude encyclopedieën gescheurde koperdiepdrukplaten met doorsneden van hovaardige veldvruchten.

In onze kamer hingen roze gordijnen en lokte een koperen bed. Eerst demonstreerde Melvin mijn vrouw de haardroger, vervolgens mij de broekenpers en na de waarschuwing dat wij stipt om half acht aan het diner werden verwacht, liet hij ons alleen. Hier maakten wij, zoals afgesproken, gretig gebruik van.

– Wat zei hij nou toch over je concentratie? riep mijn vrouw een uurtje later, vanuit het roze bad.

– Dat is een verrassing, zei ik, dat zul je morgen wel zien.

– Het houdt maar niet op!

– Het is nog maar net begonnen!

Intussen zat ik, aan het roze schrijftafeltje, nerveus te bladeren in de geheime map met brochures, brieven en dichtbetikte A4-vellen, die de drie voorafgaande maanden was uitgegroeid tot een dossier van twee duimen dik. Promotie! stond er op de voorzijde.

Ik had family-style dinner verbonden met 'losjes', 'geen gedoe' en 'eten als thuis', maar toen wij om een minuut voor half acht beneden kwamen, leidde Melvin ons naar een eetzaaltje waarin, behalve een dressoir en een wijnrek, een lange tafel stond waar wel tien mensen aan konden zitten, maar die gedekt was voor vier. De andere twee gasten zaten er al, schuin tegenover elkaar. Mijn vrouw kreeg de stoel naast de nu klaar wakkere Mr. Morris toegewezen en diens echtgenote zou mijn tafeldame zijn, besliste Melvin.

Het was weer zo'n uitgelezen moment waarop ik voor open doel de kans kreeg te bewijzen dat ik een Kerel kan zijn, als het er op aankomt. Nee dank u, had ik moeten zeggen; mijn vrouw en ik hebben iets intiems te bespreken, dus wij zitten liever aan een tafeltje apart. Ach Melvin: krijg eens even een klein tafeltje! Maar als een schaap liet ik mijn stoel onder mijn kont schuiven en toen stond ik weer op en stelde mijzelf voor en daarna mijn vrouw en ik zei dat het hier nice was en ging weer zitten.

– Well, zei Melvin tevreden en hij begon op te sommen wat wij te eten zouden krijgen. En wisten wij welke wijn daar voortreffelijk bij paste? Deze, die hij al de hele tijd achter zijn rug hield. Hij schonk ons in. De wijn was wit. Ik had gehoopt op rood.

– Well well well, zei Mr. Morris. Hij schudde zijn hoofd, als bij een sterk verhaal. Hij leek mij geen avonturier, meer in Verzekeringen. Maar dat zouden wij nog wel te horen krijgen.

– Isn't this a nice room, poneerde zijn vrouw.

– Yes it is, zei de mijne. Zij keek mij aan en omdat

zij niet kan knipogen, kneep zij ze snel even allebei dicht. Geeft niet, bedoelde zij te seinen, straks in bed lachen we erom.

– Are you staying already a long time here? vroeg ik mijn tafeldame.

Zij schrok ervan. Ojee; dan moest zij even rekenen. Help eens, Derek?

– Seven days, zei Derek Morris, tegen mijn vrouw.

– Seven days! herhaalde die alleen maar, bewonderend. Dat bleek voldoende; ik zag hem groeien. 'Die meid maakt alle kerels het hoofd op hol', zei haar Oma vroeger. Hoeveel had ik er al niet in het stof zien bijten?

– No, wait a moment! bedacht Mr. Morris zich; not seven days – eight already!

– Eight days! riep mijn vrouw met haar grootste ogen.

– Yes, Derek is right, knikte mevrouw Morris gewichtig naar mij; we simply cannot get away from here, isn't it dear?

– Last year we stayed for fourteen days! Morris begon nu te overdrijven.

– You know: Mildred, Melvin's wife, she is quite a good cook, verklaarde Mrs. Morris.

– O she is unbelievable.

– She is really unbelievable.

– She is a terrific cook.

– She is really terrific.

– O is she? vroeg mijn vrouw en toen kwam Melvin met de soep. Kippesoep was het, met hele stukken kip. Na de eerste hap keken de Morrissen elkaar schalks aan en zeiden dat je wel kon proeven dat Melvin vanavond had moeten koken.

Wij proefden niks, maar dat kon natuurlijk ook nog niet, zei Mr. Morris. Moesten wij maar eens wachten tot Mildred kookte, dan zouden wij het verschil wel merken. Hoe lang bleven wij nog?

– O it depends, zei ik ontwijkend en daar was Melvin al weer met de hoofdschotel: tegenstribbelend vlees. Mij sprongen het rood van de worteltjes en het groen van de erwten in het oog. En de kleur van de vloerbedekking, van de stoelbekleding, van Mr. Morris' pochet en van Mrs. Morris' ogenschaduw: in grote delen van Engeland zit je de hele dag gevangen binnen het beeldscherm van een kleurentelevisietoestel dat oververzadigd is afgesteld.

Het family-style dinner-systeem werkte. Af en toe bewogen er wel zes of zeven handen tegelijk boven tafel; zo hulpvaardig reikten en pakten wij alles aan en Mr. Morris liet nog een fles wijn aanrukken.

– Derek be careful, waarschuwde zijn vrouw, waarbij zij op haar hart klopte en mij met paarse angstogen aankeek.

– Red Burgundy please, beval mijn echtgenote.

– Red Burgundy shall it be! riep Mister Morris en wanneer mijn vrouw na de pudding niet gezegd had dat wij geen koffie in de lounge meer beliefden omdat zij vermoeid was van de reis en naar haar koperen bed verlangde, zou het al meteen tot de uitwisseling van persoonlijke achtergronden zijn gekomen en hadden wij de volgende avond niets meer te babbelen gehad. Op de valreep wilde Mr. Morris nog weten of wij wellicht een autotochtje van plan waren, anders wist hij er wel een paar en hij was trouwens best bereid om samen met Mrs. Morris voorop te rijden, maar ik wimpelde zijn voorstel af en zei dat ik morgen voor zaken naar Canterbury moest. Aha. Wist ik dan hoe ik het handigste kon rijden? Ja hoor, dat wist ik. Good night. Good night!

Wij ontbeten vroeg, de volgende morgen. Mr. en Mrs. Morris waren nog niet beneden. Melvin bleek, in het ochtendlicht, tien jaar ouder dan wij hem de vorige avond hadden geschat. Hoe ging het met zijn vrouw en haar been? Veel beter, dank u. Orangejuice? Graag. En wij gingen morgen weg? Kende ik tussen haakjes zijn speciale tarief bij verlenging van het oorspronkelijk afgesproken verblijf met een dag? Waarbij inbegrepen het family-style dinner? Nee, maar wij zouden zeker nog eens terugkomen.

– Ga jij maar een beetje wandelen of lekker op bed liggen lezen, zei ik na het ontbijt.
   – Waar ga je dan heen?
   – Dat hoort bij de verrassing. Ik ben in de loop van de middag terug, schat ik.

39

– Om deze tijd kwam je me afhalen, negentien jaar geleden. Weet je nog hoe Omi en mijn moeder aan mijn trouwjurk stonden te plukken en te sjorren, toen jij de trap opkwam?

– Als de dag van vandaag, zei ik. Ik was ergens anders, met mijn gedachten.

Zij liep mee naar de auto en daar zoenden wij elkaar. Onze tongen wisten de weg nog. Ik draaide de parkeerplaats af en zag in mijn spiegel hoe zij een beetje verwezen bleef staan, om zich heen keek, voor de zekerheid nog even zwaaide en ten slotte Howfield Manor weer binnenging.

Het gaf mij een kil gevoel haar zo alleen achter te laten, maar ik wilde voorkomen dat zij getuige zou zijn van een eventuele mislukking. Hoewel ik mijn komst een week tevoren schriftelijk had aangekondigd en daarna nog eens telefonies bevestigd, hield ik na elke rotonde van de zenuwen een tiental meters rechts; ik kon mij maar niet losmaken van het idee dat mijn missie op een bepaalde manier illegaal was en ik zelf straks, voor een deel, crimineel.

Maar ik kon nu niet meer terug. Er werd in Canterbury op mij gewacht en afgezien daarvan had de hele operatie al veel te veel geld gekost.

Het was allemaal begonnen met een simpel drukwerkje, dat op een morgen tussen de post zat. Het kwam van de firma Inforama en ik werd toegesproken door Th. M. van Derven, publicist, die vertrouwelijk meedeelde dat hij de lezer 'een schat aan inside-informatie en meer dan 200 legale trucs' zou verschaffen, wanneer er f 35,– werd overgemaakt naar de rekening van Inforama. Ik zou dan niet alleen aan de weet komen hoe ik uit één telefoonnummer zeven andere kon maken via een goedkope relais-codeschakelaar, maar ook hoe ik, probleemloos en legaal, een tweede paspoort en idem nationaliteit kon verwerven en hoe ik, wanneer ik in 1982, 1983 of 1984 met een bepaalde vliegtuigmaatschappij over de Atlantische Oceaan was gevlogen, op last van de rechter driehonderd dollar terug kon krijgen! Ook schermde Van Derven nog met een speciale infogids Diversen, waarin mij voor een bedrag van f 50,– bij voorbeeld zou worden verteld hoe ik, in het buitenland en per post, aan een Academische Titel kon komen. Nu was mijn belangstelling gewekt!

Ik schreef een girobiljet uit, zette Spoed op de enveloppe en ontving een week later een geglansde ringband. Inforama's Grot Van Ali Baba, stond er op het omslag. Toch verschilde de inhoud niet wezenlijk van het eerste drukwerkje.

De inleiding, verlucht met tekeningetjes van geldbuidels, dansende muntstukken en het hoofd van Dagobert Duck, ronkte van dezelfde likkebaardende zinnen over handigheidjes, buitenkansjes en sluipweggetjes. Waarom de Hoge Heren wel en U niet? riep Th. M. van Derven retorisch en op de volgende pagina's ging hij, rubrieksgewijs, iets nader in op de onderwerpen die hij in zijn eerste mailing had aangesneden, maar het bleef bij tipjes; van geen enkele Truc werd de sluier helemaal opgelicht. Als ik bij voorbeeld alle informatie wilde hebben over Truc 25 (Dr.-titels in het Buitenland per Post verkrijgbaar!), moest ik f 100,– overmaken. Hetgeen ik deed, want in mijn achterhoofd groeide het blijvendste geschenk dat ik ooit had bedacht voor onze trouwdag. Vond ik.

Weer schreef ik Spoed op de giro-opdracht en twee weken later ontving ik een grote, bleke enveloppe met een stapeltje fotokopieën van binnen- en buitenlandse kranteartikelen over het verkrijgen van Academische Titels, alsmede de overdrukken van een flink aantal advertenties namens Duitse, Engelse en Amerikaanse Universiteiten waar men kennelijk niet al te zwaar aan een titeltje tilde. Ik las mijn uiteindelijk voor f 150,– verkregen, geheime informatie door en leerde dat de Academische Raad van diverse Instituten de inbreng van Geld en Levenservaring doorslaggevender achtte dan daadwerkelijke studie.

Hij die over heel veel levenservaring en nog meer geld beschikte, behoefde aan enkele Hogescholen zelfs geen eerder behaalde diploma's te laten zien om zich te mogen tooien met Titels als D.Psy., M.Arch., LL.D., D.D. (Doctor of Divinity), Ph.D. (Doctor of Philosophy) of M.S.J. (Master of Science in Journalism). Sommige Instellingen, zoals de

Siehe Pacific Cascade University, deden niet eens moeite om zelfs maar een schijn van wetenschappelijke geloofwaardigheid op te houden – naast het afgebeelde Diploma bevatten hun advertenties opwekkingen als Ideal Decoration For Your Wall, Impress Your Friends And Associates, Terrific Gift Idea, Authentic Looking In Every Detail en Select Your Own Title. Qua authenticiteit was zo'n Bul even kermisachtig als een in de Kalverstraat gedrukt aanplakbiljet waarin ik Wanted was For Murder, of een uit Benidorm meegetroonde poster die een Stieregevecht van de Torero K. van Koten aankondigde. Nee, mijn Titel moest wel een graad van waarheid ademen, anders was de grap te plat.

Zou ik Doctor of Philosophy in Nutrition worden? Dat kon binnen drie weken en langs schriftelijke weg, aan de University of Nutrition van Dr. Kurt W. Donsbach (Health is Wealth), maar hier moest de definitieve promotie plaatsvinden op de Hogeschool voor de Voeding zelf, gevestigd op het adres 7422 Mountjoy Drive, Huntington Beach, California, en dan kwam die bul, exclusief de reis- en verblijfkosten, op 8093 dollar!

Speurend naar mogelijkheden om goedkoper en dichter bij huis te promoveren, hield ik ten slotte twee Engelse Hogescholen over: The University of Chilvester in Hatherleigh en Farthings University te Canterbury. Ik schreef ze allebei aan en ze reageerden snel en vrijwel tegelijk met een keurig ogende brochure.

Via the University of Chilvester zou ik BBA, MBA of DBA kunnen worden, alsook LLB in International Law of Bachelor in Music, maar de Farthings University verleende Doctoraten en bood de keuze uit de titels DSc (Doctor of Science), ThD (Doctor of Theology) en DLitt (Doctor of Letters)! Hun boekje was ook mooier gedrukt en er stonden foto's in. Op pagina drie poseerde, vulpen in de hand, Dr. Thomas Woolf, LLM, FBSC, MIPM, DipEd, FIPructE; Director of Studies. Hij droeg een bedaagd driedelig kostuum en probeerde onkreukbaar te kijken, maar doordat het linkeroog wat lui was, leek het of hij knipoogde. Ook de Deputy Director Dr. Robert Sparrow, DMS, EdD, AAP, MscTech, KNart, maakte geen al te onvermurwbare indruk en Dr. Diana Davies, CertPH, BAD, BeD, SNurC, Assistant Registrar, zag er zelfs losbandig uit, zoals zij poseerde met twee telefoons tegelijk aan haar oor.

'The Cricket Court', stond er op pagina 40 boven een foto van een indrukwekkend toegangshek waarachter een neo-amerikaans buitenverblijf oprees, om te bewijzen dat ze op Farthings niet aan een stuk door met hun neus in de boeken zaten. Rechts van de poort stond, geleund op een zeis, een oudere heer die, blijkens het onderschrift, Dr. Ben Organ, DDT, MITD, KNIP, MIBiol was; Gardener and former graduate of the University. De Conciërge heette Dr. Rosemary Stanley, CNAA, PHDust, als Pedel fungeerde Dr. Carl Deakin, DD, PhOra, EST, en The University's Offices waren ondergebracht in een eenvoudige dorpsnotaris-woning. Op de hoek van het straatje kon ik het wapenschild van een Pub zien hangen: The Emperor's Clothes.

De keuze was niet moeilijk; ik zou proberen te promoveren in Canterbury, aan Farthings University. In een kort maar krachtig schrijven stelde ik de senaat van mijn voornemen op de hoogte en nog diezelfde week ontving ik een brief terug, ondertekend door de Assistant Registrar Dr. Diana Davies, CertPH, BAD, BeD, SNurC.

Zij verzocht mij om een Curriculum Vitae, kopieën van reeds behaalde diploma's en One Hundred Pounds Registration Fee, onmiddellijk te storten. Het bijgesloten aanmeldingsformulier diende zo snel mogelijk met blokletters te worden ingevuld. Als Field of Study gaf ik 'Humour' op, omdat ik zo snel geen ander terrein kon bedenken waar ik iets van wist en nog diezelfde dag retourneerde ik alle gevraagde papieren en maakte ik mijn toelatings-kosten over.

In de daaropvolgende week leegde ik steeds als eerste de bus en zo onderschepte ik, op een donderdagmorgen, twee brieven van Farthings University of Canterbury.

De ene was wederom van Dr. Diana Davies, die mij gelukwenste met het feit dat de Senaat mijn aanmelding, na zorgvuldige bestudering, had geaccepteerd en dat ik was toegelaten tot het studieprogramma dat zou leiden naar de graad van Doctor of Philosophy in Literature. En het verheugde haar wel zeer in het bijzonder te kunnen meedelen dat niemand minder dan Dr. Thomas Woolf, LLM, FBSC, MIPM, DipEd, FIPructE, bereid was op te treden als mijn Academic Supervisor for the Research Program.

De andere brief kwam van Thomas Woolf s.t.deb.: Geachte heer van Kooten, zoals u al is meegedeeld door onze registrar Dr. Davies, CertPH, BAD, BeD, SNurC, ben ik uw supervisor en is het mijn taak u te adviseren aangaande de voorbereiding, uitwerking en presentatie van uw dissertatie. Aan het eind van uw studie zal ik, in samenspraak met mijn collega's, uw werk evalueren. Het is regel dat de titels van alle theses en dissertaties eerst worden goedgekeurd door de Senaat van de Universiteit, waarna de kandidaat officieel mag aanvangen met het verwerven van zijn graad. Mag ik u daarom verzoeken ons zo snel mogelijk het precieze onderzoeksterrein van uw dissertatie te doen weten? En wilt u erop toezien dat uw totale collegegeld ad £ 1.250,– uiterlijk 15 juli in ons bezit is? Hoogachtend, enzovoort.

Dat viel tegen! Ik had gedacht dat mijn curriculum vitae en het gegeven dat ik zelf al min of meer Humorist was, wel een Eredoctoraat zouden rechtvaardigen, maar het zag er naar uit dat ik echt aan het werk moest! Voor zo'n rib van een bedrag! Zou mijn accountant daar wel een aftrekbare mouw van weten te breien? Accepteerde de Belasting mijn betalingen aan deze Sprookjesuniversiteit als Studiekosten? Moest ik Woolf niet een persoonlijk briefje schrijven, hem vertellen hoe de vork in de steel zat en ronduit vragen of hij nog ergens een bulletje voor de halve prijs had liggen, ter verkrijging waarvan ik geen proefschrift behoefde te schrijven?

Maar daar had je het nu weer: dat durfde ik niet! Mijn titeldeemoed deed mij zelfs nog deizen voor de opgeklopte status van de Farthings University, met haar doorzichtig dure brochure en het geschepte briefpapier, voorzien van haar zelfverzonnen wapen: een schild waarop een bebrilde leeuw, met een poot onder zijn kin, een boek lag te lezen. Libertas Acadaemica, luidde het motto.

Tweemaal had ik Dr. Woolf opgebeld, zogenaamd om hem in te lichten aangaande mijn vorderingen. Tijdens ons eerste telefoongesprek was hij zo goed als onverstaanbaar geweest, door een op de achtergrond meekeffend hondje. Hoewel de ware reden was dat ik niet durfde, maakte ik mijzelf wijs dat het bij dit lawaai geen zin had hem te vragen of ik, op 19 november, misschien persoonlijk mijn Doctorsbul zou mogen kunnen komen ophalen.

Voor ons tweede telefoongesprek, begin augustus en zonder hondje, had ik voldoende moed verzameld om die vraag wel te stellen: als ik de Senaat van

47

Farthings University medio september mijn Dissertatie opzond, zou ik dan op mijn trouwdag kunnen promoveren?

Had ik het gehele collegegeld al voldaan? vroeg mijn tutor streng.

O zeker doctor Woolf; in één keer zelfs.

Dan moest dat wel lukken, had hij gedacht. In elk geval zou hij een goed woordje voor mij doen, bij de Senaat.

Er was een pak van mijn hart gevallen; de grap kon doorgaan. Aan het werk! Wilde ik de stapel van honderd volgekliederde A4-vellen presentabel krijgen en tot een soortement proefschrift verdichten, dan had ik daar minstens nog een volle maand voor nodig.

– Waar ben je toch mee bezig? had mijn vrouw al een paar keer gevraagd wanneer ik, onmiddellijk na het eten, de trap naar mijn kamer besteeg.

– Dat is een verrassing, antwoordde ik steevast. Met een cadeautje voor onze trouwdag hadden mijn bezigheden allang niets meer te maken.

In mijn domme hoogmoed had ik 'Humour' als 'field of study' opgegeven, maar die vlakte bleek zo onafzienbaar dat ik er reddeloos in verdwaald zou zijn wanneer ik haar niet hanepennend had verkleind; tot de titel van mijn dissertatie luidde: 'Differences and Similarities in the Use of the First Person Singular by English and American Humorous Writers between 1850 and 1950'.

'A very worthwile topic for investigation', had Dr. Woolf teruggeschreven. De Senaat was zeer benieuwd naar het resultaat.

Ik ook. Ik had nog geen flauw vermoeden van de vorm waarin ik mijn thesis zou moeten gieten om duidelijk te maken wat mij in de loop der jaren bij het lezen was opgevallen: dat van de tien amerikaanse humoristische schrijvers er gemiddeld acht hun verhalen in de eerste persoon enkelvoud vertelden en hoe zij, al doende, zichzelf tot het object van de lach maakten, terwijl hooguit tien procent van hun engelse collega's deze auto-relativerende stijl hanteerde. Wanneer een komisch engels auteur in de eerste persoon enkelvoud schreef, werd het verhaal bijna altijd verteld bij monde van een ander dan de schrijver; een 'character', met een verzonnen naam. Dat moest iets wezenlijks over de beide volksaarden zeggen! En opgewekt was ik begonnen met lezen, herlezen, aanstrepen, rubriceren, noteren en kopiëren.

In het begin bleef het besef knagen dat ik als een gek bezig was met de verovering van een valse onderscheiding en dat mijn Doctorstitel uiteindelijk net zo tragisch Net Echt zou zijn als een in eigen beheer uitgegeven boekje of een zelf gedistribueerde grammofoonplaat, maar dit schaamtegevoel werd gaandeweg verdrongen door een onbekende, aangenaam kabbelende trots: ik was, 46 jaar oud, eindelijk serieus aan het Studeren!

– Dat heb ik nog nooit gezien van jou! riep mijn vrouw verbouwereerd toen zij me, op een zomeravond, na in stijl aan de deur van mijn studeerkamer te hebben geklopt, een kopje thee kwam brengen.

– Wat? vroeg ik verstrooid.

– Dat jij een pijp rookt! riep ze. En wat ben je daar nou weer aan het lezen?

– Anthony Armstrong, zei ik. Uit 1931, is dit. Hele interessante Engelsman. Monologen van allerlei gekke types. Beetje in de lijn van Barry Pain, met Marge Askinforit. En Augustus Carp Esq., natuurlijk. En op een bepaalde manier, maar dan amerikaans, Pudd'nhead Wilson, van Mark Twain.

– Kom je nou nog eens een avond beneden?

– Weekje nog, beloofde ik.

– Weekje wat? vroeg ze.

– Niks bijzonders, wees ik haar, met mijn pijp, het gat van de deur.

Op vijftien september zette ik er een punt achter, om niet stapelgek te worden. Ik ging naar het Postkantoor en liet mijn dissertatie aangetekend verzenden.

– Zozo, zei de lokettiste; dat is impo! En dat moet naar Canterbury?

– Ja, zei ik, naar de Universiteit van Canterbury.

Helemaal op eigen houtje, me verlatend op mijn kaart en mikkend op de kathedraal, had ik Clacton

Street weten te vinden; zolang er maar een worst voor mijn neus bungelt, weet ik de weg wel.

Op nummer 14 moesten The University's Offices zijn gevestigd. Een karakterloze engelse voorgevel, onsamenhangend opgetrokken uit een grijs mengsel van pleisterwerk, flagstones, structuursteen en graniet, dooraderd met een doolhof van cement. Een huis dat zich vijftig jaar geleden haastig had moeten aankleden en sindsdien in deze grauwe ochtendjas was blijven staan.

De zwartgelakte regenpijp, haar enige sieraad, moest zij nog delen met de buren. Na een kniebuiging verdween hij in het geasfalteerde stoepje, ter breedte van anderhalve voetganger. De gordijnen waren dicht, ik kon niet zien of er binnen gestudeerd werd. Ik belde aan en een hond begon te keffen. Klakkende hakken. De vrouw die de deur opende tilde tegelijkertijd het hondje op.

Ik verklaarde het doel van mijn komst, liet mijn map met correspondentie zien en zei dat ik een afspraak had met Dr. Thomas Woolf.

– One moment please, zei de vrouw en zij zette het hondje op de stoep, ter ontlasting. Nu herkende ik haar van de foto uit de brochure. Dit was Dr. Rosemary Stanley, CNAA, PHDust, de conciërge.

– Dr. Stanley, I presume? vroeg ik, conform mijn field of study, maar zij was al weer weg door de nazwaaiende tochtdeur. Uit de gang bolde een walmpje gestoofde kool. Ik zag een motor, een Norton, dronken tegen de muur leunend. Toen zij weer terugkwam, zat ik amicaal op mijn hurken en aaide het hondje, tegen zijn zin.

– Here you are, zei Dr. Stanley en zij stak mij een bruine enveloppe toe. Iets te gretig pakte ik hem aan; zij trok kritisch haar arm terug en vroeg of ik from Holland was.

– Yes, zei ik, from Holland. I come for the bull from Holland.

Dan was het in orde. Ik mocht de enveloppe hebben en zij veegde haar hondje op, dat afwijzend begon te grommen, zodat ik niet alles kon volgen, maar in elk geval verstond dat ik de hartelijke gelukwensen moest hebben van Dr. Woolf, die onverwacht in Birmingham was ontboden. Daarna deed zij de deur weer dicht.

Ik maakte de enveloppe open, zij was zelfklevend. In de verlaten straat peuterden mijn trillende vingers een kartonnen plakkaat naar buiten. De rand was versierd met een motief van gekruiste ganzeveren, roemers en fietspompen. Middenboven prijkte het wapen van Farthings University en tien centimeter daaronder stond in rode Gothische letters gedrukt: This is to Certify that en toen trok ik mijn gekalligrafeerde naam te voorschijn en daar weer onder stond gedrukt: has been Awarded the en nu rukte ik de laatste vijftien centimeter eruit en daar stond geschreven: Degree of Doctor of Philosophy in Literature. En de datum: dated this nineteenth day of November 1987. Ik grabbelde in de enveloppe naar een begeleidend schrijven namens Woolf of een rapport van de Senaat, maar er zat verder niets bij. Nooit zou ik weten hoe mijn werk was ontvangen! Als ze het al hadden gelezen. Halverwege de terugrit moest ik mijzelf bekennen dat ik een cijfer had willen hebben.

Mijn vrouw kon van ongeloof niet praten. Zij schudde een kussen op en zette mijn bul er voorzichtig tegenaan.

– Vier maanden, zei ik. Nee, niet liegen: drie.

– Schat o schat wat knap wat knap!

– Honderdtwintig pagina's.

– Laat eens zien?

– Nee, die zijn op de Universiteit. Dat gaat daar in de bibliotheek. Dat wordt over twintig jaar nog eens genoemd, in de noten bij een ander proefschrift, hooguit. Maar daar gaat het niet om.

– Nee, natuurlijk niet. Heb je het moeten verdedigen?

– Zo ongeveer ja. Dat viel nog niet mee.

– Moest je in een toga? Had je zo'n driehoek op?

– Nee, dat hoeft niet meer tegenwoordig. In Oxford natuurlijk nog wel.

– En hoeveel heeft dat nou gekost, alles bij elkaar? vroeg zij toen.

– Dat vraag je niet bij een cadeau, antwoordde ik.

– Je moet een promotiefeest geven, als we thuis zijn, bedacht ze.

– Ben jij wel eens met een Doctor naar bed geweest? vroeg ik.

– Na het eten, zei mijn vrouw.

Er waren geen nieuwe gasten en wij zaten op dezelfde plaatsen aan tafel: zij naast hem en ik naast haar. De avond daarvoor spraken wij alleen nog maar tussen de gangen, nu werd er al gekakeld onder het lepelen.

Mrs. Morris had een andere jurk aan, weer met zo'n stijve hoge kraag. Schaamde zij zich voor haar oude hals? Was het een huidaandoening? Ik zag schilfers, in haar oorschelp. De soep was die van gisteren, met grotere stukken kip.

Mr. Morris droeg een sportief overhemd onder zijn jasje, met een shawltje in plaats van een das. En hij had een fles bourgogne laten komen.

– Birmingham, ving ik op; house nice garden. Dirty years. Insurance bibness. Pruffing droodle wombat, bork.

Mrs. Morris vertrouwde mij toe dat zij een zoon hadden, die voor apotheker studeerde.

– Waar, if I may ask, Mrs. Morris?

– In Liverpool!

– In Liverpool! Belangrijk beroep, apotheker!

Hij was pas een half jaar het huis uit, hun zoon. Dat was niet eenvoudig, zo samen alleen, in het

54

begin. Maar gelukkig hielden zij allebei ontstellend van autorijden. Dat was haar man zijn enige hobby.

– Prachtige MG ook, heeft uw man.

Nee, die was van Melvin. De Morris was van hen. Maar eigenaardig was dat, nietwaar? Terwijl hij toch al zijn hele leven door heel Engeland had gereden. Een verzekeringspraktijk had hij gedaan, haar man. Grote bedrijven, tegen brand. En toen, ik zag dat het haar moeite kostte maar zij kon zich niet langer bedwingen, toen vroeg Mrs. Morris:

– And what is your profession, Mister Van Kooten? En mijn vrouw, die oren op steeltjes heeft, antwoordde onmiddellijk en zo serieus dat ik er onmogelijk een relativerend lachje aan vast kon plakken: My husband is a doctor, Madam.

– Oh I see, zei Mrs. Morris en zij liet haar lepel even zweven.

– Yes, zei ik.

– Our son Michael is studying Pharmacy, zei Mr. Morris.

– I know, zei ik.

– In Liverpool, zei hij nog net en toen nam hij een hap en wilde slikken maar moest hoesten. Hij liet zijn lepel vallen, recht in zijn bord en de soep spetterde tot aan onze kant van de tafel. Wild schoot Mr. Morris overeind, hijgend als een bezetene. Hij schopte zijn stoel om en begon blaffend door het eetzaaltje te zwalken.

– Oh no, Derek! Not again, not again! riep zijn

vrouw en ze greep met allebei haar handen mijn arm en huilde: Please Doctor, please!

Mr. Morris stond machteloos met zijn hoofd voorover tegen de wand gedrukt; zoals je vroeger tot honderd moest tellen. Zijn hele lichaam schokte en hij probeerde op zijn borst te trommelen maar kreeg zijn krachteloze armen niet omhoog.

– Kip! riep mijn vrouw; hij heeft een stuk kip in zijn luchtpijp!

Melvin kwam aangestruikeld, uit de keuken, met Mildred op zijn hielen.

– Pleased to meet you, zei ik nog, vlak voordat ik mij herinnerde hoe mijn moeder mij eens had gedemonstreerd wat ik in zo'n geval van verslikking bij haar moest doen: je moest achter de verstikkende persoon gaan staan, hem zo stevig mogelijk om zijn middel vastpakken en dan optillen, zodat het middenrif omhoogkwam.

In drie, vier passen was ik bij Mr. Morris, die nu alleen nog maar piepte. Ik zette mijn houdgreep in, hief hem een halve meter van de vloer en prompt spoot er een golf kippigheden uit zijn mond. Ik liet de man weer neer. En hij viel mij huilend om de hals. Kalm leidde ik hem terug naar zijn stoel, maakte zijn bebraakte shawltje los, depte zijn mondhoeken met mijn eigen servet en liet hem een paar slokjes water drinken, waarbij ik zijn achterhoofd ondersteunde.

Ik bedacht ook nog dat het geen kwaad kon zijn

hartslag te controleren, kreeg met mijn rechterhand zijn polsslagader te pakken en keek een tijdje op mijn horloge. Het stond stil.

Die avond namen we wel koffie in de zitkamer. Mr. Morris bood cognac aan en toen iedereen zijn glas had, wilde hij mij toespreken, maar hij had zijn stem nog niet terug en bovendien woof ik alle dankbetuigingen weg. Na het tweede glas cognac sloeg Mrs. Morris heel voorzichtig een punt van haar halskraag om en vroeg mij of ik een blik over de rand wilde werpen. Dacht ik dat het kwaad kon, die rode vlekjes? Ik zei haar dat het een onschuldige irritatie was en dat zij veertien dagen lang geen cols of hoge kragen mocht dragen.

Melvin vertrouwde mij toe dat hij de laatste tijd een beklemd gevoel in de hartstreek had als hij 's nachts in bed lag. Ik gaf hem de raad voor het slapen gaan nog een paar honderd meter te wandelen en daar ritmisch adem bij te halen. Een twee drie vier in, een twee drie vier uit, demonstreerde ik en hij schoof de vijfzitsbank opzij, om het loopje even onder mijn toezicht te oefenen.

Maar toen Mildred vlak voor mij kwam staan, haar geruite rok optrok en vroeg of die spatadertjes in haar knieholten boosaardig waren, zei mijn vrouw dat wij naar bed moesten.

– Omdat mijn echtgenoot morgenavond een zware operatie heeft, legde zij uit.

– Valt wel mee hoor, zei ik.

– In the hospital? vroeg Mrs. Morris.

– Yes, in the hospital of Amsterdam, zei mijn vrouw.

Om haar te laten ophouden met lachen, moest ik tien minuten later dezelfde greep op mijn vrouw toepassen als op Mr. Morris, maar dan liggend.

Hij werkte weer.

– En? vroeg ik; was je nou wel eens eerder met een dokter naar bed geweest?

– Nee, zei mijn vrouw, alleen een paar keer met een ingenieur.

NAAR AMERIKA TERUG

Het was 1968, wij waren net getrouwd en ik wilde een man van de wereld worden. Onze huwelijksreis leek mij een goede gelegenheid om deze ontwikkeling in gang te zetten.

Ik schnabbelde vierduizend gulden bij elkaar met het schrijven van reclameteksten, kocht voor ƒ 1.234,– twee vliegtickets naar New York en berekende, uit mijn blote hoofd, dat het resterende bedrag toereikend was om per Greyhound-bus naar Tampico af te zakken. Over Philadelphia, Washington, Jacksonville, New Orleans, Houston, San Antonio en Monterrey; had ik uitgestippeld op het kaartje in mijn Succes-agenda. Die Greyhounds reden dag en nacht door, dus dat moesten wij in vier etmalen kunnen halen.

Onderweg zouden wij alleen maar hamburgers eten en voor de rest van de liefde leven. Als we maar eenmaal in Mexico zaten! Daar kostte alles helemaal niets, hadden hippe vrienden ons ingetjoend met grote pupillen. Je sliep er gewoon op het strand, onder te gekke sterren. Dus moest je zo snel mogelijk in Tampico zien te komen en op de weg erheen geen overbodige kosten maken. Allebei alleen een weekendtasje mee; de man van de wereld is traveling light.

– Weet je wat we doen? zei ik na onze aankomst in New York tegen mijn drieëntwintigjarige prachtvrouw; we nemen geen hotel. Is nergens voor nodig. Iedereen is hier de hele nacht wakker en alles blijft open.

– Dat is goed lieverd, zei ze. Gaan we wel eten?

– Nee, dat is zonde, zei ik slim. Dan zitten we maar binnen. We nemen downtown een pond gepofte kastanjes, gewoon op straat en dan pakken we morgenochtend om half vijf de eerste Greyhoundbus.

– Waar is downtown? vroeg ze.

– Alles is downtown in New York, zei ik. Maar ik heb dorst. Zullen we wat drinken?

– Graag lieverd, zei mijn vrouw.

– Dit lijkt me wel een gezellig café, wees ik op Broadway, en wij stapten per abuis een morsige striptent binnen, waar zeshonderd zwaarademende mannen aan hun zak stonden te krabben. Mijn jonge bruid was er de enige vrouw, afgezien van de zeven topless danseressen die, op een plankier en tegen hun zin, hun borsten lieten rondslingeren. Voor twee flesjes bier vroegen ze veertien dollar, zodat ik de volgende morgen in het geniep een nieuw te besteden dagmaximum moest vaststellen. Mijn vrouw wist niet hoeveel geld ik bij mij had. Dat hoort bij de romantiek van een huwelijksreis.

Onderweg bleken de hamburgers veel duurder dan ik had begroot en de dollar stond nogal onvriendelijk ten opzichte van de meegevlogen hollandse guldens. Om kort te gaan: na drie dagen Amerika begreep ik dat er te veel risico's kleefden aan de gedroomde bruidsfoto met sombrero.

– Er schijnt een revolutie te dreigen in Mexico, zei ik in Florida, dat moeten we nou net niet hebben!
– Nee, zei mijn vrouw.
– We blijven lekker veilig hier, besloot ik.
– Dat is goed schat, zei ze.
Wij huurden een kamer met kookplaatje in het Castle-Motel; het op een na goedkoopste onderkomen aan het strand van Daytona Beach. Pas na drie kilometer kreeg je een supermart. De eerste week bezochten wij hem lopend, maar dat was slopend met die hitte. Ik begreep dat alleen een vervoermiddel onze honeymoon kon redden en huurde een brommer. De verplichte valhelm plette ook het laatste restje model nog uit de bruidscoupe van mijn arme vrouw. En wat veel erger was: die brommer kostte honderdachtenzestig dollar voor zeven dagen! Pas op de vierde dag kreeg ik in de gaten dat tweewielers hier werden verhuurd zoals vroeger de ezeltjes aan de Noordzeekust: per half uur en just for fun.

Auto's bleken potverdomme vijfmaal goedkoper! En per dag honderd mijl vrij!

Zo beloofde de tweede van onze wittebroodsweken onvergetelijk te worden en zouden wij, behalve

61

naar het Zeecircus in Marineland (omdat wij toen nog dachten dat Dolfijnen echt lachten) nog allerlei andere prachtige excursies hebben gemaakt, wanneer ik op een avond niet zo stom was geweest mijn huurauto te parkeren op het harde zand. Je mag rijden over het strand van Daytona Beach, dat beroemd is om zijn breedte. Wij gingen voor het eerst als echtpaar uit eten, in een verlaten strandrestaurant, dat The Lobster Palace heette.

Nadat de oude serveerster twee steaks voor ons had neergezet, zei ze dat de idioot die daar die goudkleurige Dodge had geparkeerd nu snel moest komen opdagen, omdat hij op een stuk drijfzand stond. Daar kwam zometeen de zee overheen en dan konden we hem langzaam zien wegzakken als we hier rustig voor het raam bleven zitten.

Toen ik, bloed spuwend van mijn wanhoopssprint, uit de greep van de Atlantische Oceaan wilde wegscheuren, groeven de radeloos rondwentelende wielen zich gierend in het zuigende zand. Mijn jonge vrouw, die vanachter het restaurantvenster mijn doodsstrijd volgde, belde koelbloedig een takeldienst. Het lostrekken kostte zeventig dollar. Dit betekende dat wij tot aan de terugvlucht voor het grootste deel in bed moesten blijven; alle televisiekanalen bekijkend, blikbier gulpend en de allergoedkoopste TV-dinners lepelend.

Zo hebben wij elkaar eigenlijk pas goed leren kennen.

Wij zijn nu achttien jaar verder, hebben twee kinderen en vier credit-cards en zitten aan de andere kust van Amerika. Het zal ons hier aan niets ontbreken, heb ik besloten. Misschien wordt dit wel de laatste keer dat de kinderen nog met ons mee willen en gaan wij vanaf het volgend jaar steeds wurgender samenvallen met het onbekommerde beeld dat Banken en Verzekeringsmaatschappijen het verstandige echtpaar voorspiegelen. Kek, goedlachs en voorzien van prachtige gebitten zitten wij over twintig jaar aan een pittoresk mediterraan haventje, met een karafje witte wijn tussen ons in. Dank zij de man, die zo verstandig is geweest om voor zijn aanvullende pensioenvoorziening de juiste bank in de arm te nemen. Waar hij zijn vrouw al die jaren niet mee lastig heeft willen vallen. Vandaar dat zij zo zit te schateren en hem wel op kan vreten: wat valt er nog veel te genieten! Er zijn nog zoveel mooie dingen om te zien! Zoveel interessants om eindelijk eens te doen. Waar het vaak aan ontbrak was de tijd... Maar ineens is die tijd daar. Dan is het goed dat u destijds gezorgd hebt voor later!

Weer heb ik een route uitgezet. Wij blijven eerst drie dagen in Los Angeles en rijden dan langs de kust naar het Noorden. Via Santa Barbara, San Simeon en Carmel. Aldaar vriendelijk Clint Eastwood te spreken vragen, de nieuwe burgemeester (leuk voor krantestukje!). Dan via Monterey naar San Francisco. Dag of twee heerlijk alles aflopen, musea, theaters, Jazz, cabaret, daarna binnendoor via Sacramento, Yosemite Park, Grand Canyon, Sequoia National Park, Death Valley (goed oppassen!), Las Vegas (hier heel voorzichtig zijn!) en Mojave Desert terug naar Los Angeles. Los Angeles doen (musea, theaters, Jazz, cabaret), een hele dag Disneyland en dan terugvliegen naar Amsterdam.

– Lijkt drie weken je niet een beetje krap? vroeg mijn vrouw voorzichtig, maar ik veegde al haar bedenkingen van de dekens. Ik was de baas: in het vliegtuig heeft zij zelfs nog even op mijn schoot gezeten.

Voor mijn dochter gaat hier een nieuwe wereld open, waar zij zich allengs soepeler in wentelt. Op het strand ligt zij precies het aantal meters bij ons vandaan dat haar in haar eentje doet lijken en vanaf de vervallen Santa Monica Pier laat zij zich befluiten door jongens die stuk voor stuk uit een videoclip zijn weggelopen. Ook voor mij is dit nieuw: wanneer wij in het avondgoud gevieren over de boulevard van Venice Beach slenteren en zeven zwarte adonissen vanaf een veranda hun complimenten rappen naar mijn vrouw en mijn dochter ('When you take the Daughter, I'll take the Mother!' roept de mooiste en mijn vrouw weet achteraf heel zeker dat het niet andersom was), lach ik schaapachtig terug, voel mij onbeholpen blank en zeg dat ik Los Angeles nu wel heb gezien. En dat wij morgen, na het beloofde bezoek aan het Marineland van Rancho Palos Verdes, on the road upnorth gaan.

Mijn zoon valt mij bij, maar hij corrigeert mijn uitspraak, zoals ik die van mijn vader verbeterde. Ik had toen gelijk, nu heeft hij het; we gaan vooruit.

In Santa Barbara koopt hij het skateboard dat hij al een half jaar in zijn schoolagenda tekent. Het geldt als paspoort voor iedere stad waar we stoppen. Onmiddellijk na aankomst rolt hij een keer over de sidewalk heen en weer. Ongeveer zoals Jelly Roll Morton, door Amerika toerend, in elk gat waar hij 's avonds optrad van te voren een paar maal de hoofdstraat op en neer flaneerde, in steeds wisselende kostuums en met al zijn ringen om en aan, noteer ik in gedachten.

Die vergelijking slaat nergens op; het gaat mijn zoon er niet om te epateren, maar te assimileren en dat lukt hem naadloos. Hoe zou ik mij hier als veertienjarige hebben gedragen, gesteld dat mijn vader deze oversteek had kunnen maken? Daar is geen denken aan. Eeuwen zitten ertussen. Ik wist in Frankrijk al niet meer hoe ik mij moest bewegen.

Zo zien onze dagen eruit: wij rijden van twee tot zes 's middags, in onze gehuurde witte Dodge. Dan kiezen wij bij stemming een hotel, ploffen onze weekendtassen op bed, steken onze hoofden onder de kraan en doen schone T-shirts aan. Vanuit de kamer naast ons roepen de kinderen dat wij niet dezelfde als zij mogen dragen, want dat staat zo burgo.

Nu gaan wij weer naar buiten en wandelen net zo lang tot wij een restaurantje zien dat ons allemaal aantrekt. Mijn zoon drinkt Coke bij het eten, mijn dochter Diet Coke en mijn vrouw en ik een fles wijn, uit Nappa Valley. Soms twee. Als die leeg zijn keren wij terug naar ons hotel, waar wij chips eten en televisie kijken tot wij omvallen.

De volgende morgen installeren de kinderen zich op het strand of aan het zwembad, terwijl wij de plaatselijke cultuur natrekken. In het verlaten Museum of Modern Art van Santa Barbara zitten we een kwartiertje voor drie nooit vermoede schilderijen van Hopper – hoeveel rijker en rustiger is ons leven niet dan in 1968!

Tegen enen 's middags laat ik de balieklerk mijn credit-card bewalsen, plaats mijn handtekening, zie tevreden hoe hij zijn vingers zwart maakt bij het demonstratief verwijderen van de fraudegevoelige carbonvelletjes en weg zijn we weer. Niks vergeten jongens? Terwijl ik het vraag zie ik mijn fototoestel aan de kledinghaak van de badkamerdeur hangen, maar gelukkig heeft mijn dochter haar buitenbeugel op het nachtkastje laten liggen, zodat het niet mijn schuld is dat we aan het einde van de boulevard moeten omkeren om terug naar het hotel te rijden. Wacht maar; pappa haalt hem wel even.

Wij zijn nu zes dagen onderweg en ik ben nogal tevreden over mijzelf. Met welgevallen bekijk ik mijn linkerarm, die ontspannen ligt te bronzen in de raamlijst van mijn portier. Atleties gezien is het een armpje van niks. Ik zal thuis eens iets gaan doen tegen deze sprietigheid. Met havermout en zo'n postorder-halterbankje. Het is heel begrijpelijk dat mijn dochter, wanneer ik haar voorstel om samen een eind langs het blitsende strand te lopen, liever blijft liggen zonnen.

Geeft niks, dan ga ik wel alleen.

Het kakofonische getsjilp van sportschoenen op asfalt lokt mij naar de basketballveldjes langs de boulevard. Ouwelijk vergaap ik me aan al die soepel scharnierende californiese jongenslichamen.

– Mag je weer niet meedoen? grapt de stem van mijn zoon, achter mijn rug. Hij springt van zijn skateboard, wipt het op, klemt het koesterend onder zijn arm en komt naast me staan.

– En hoe voel je je? wil ik horen.

– Dit is de mooiste vakantie die ik ooit heb gehad, geeft hij toe. Zijn ogen snellen van de toekijkende meisjes naar de basketballende jongens en weer terug. Die blonde op rolschaatsen – hij heeft haar ook meteen gespot. Dit is de eerste keer dat wij samen naar een mooie meid staan te kijken, unisono zwijgend. Onze schouders raken elkaar; hij is straks een hele kop groter.

– Over een paar jaar wil ik hier weer heen, zegt

hij vastbesloten; maar dan met een paar vrienden.

– Natuurlijk, zeg ik; moet je doen. Flink sparen maar, zou ik zeggen.

– Hoe noemen ze het hier ook alweer? vraagt hij.

– God's own country, zeg ik plechtstatig.

Snel skeet hij weg. Onbegrijpelijk dat ik steeds maar weer die sfeer creëer waar ik vroeger zelf zo ibbel van werd: je ouders die vroegen of je het mooi vond en of je niet blij was en dat je zeker nooit gedacht had dat het zo fijn zou zijn, hier in Harderwijk.

– Nou was er in 1919 een man jongens en dat was de rijkste man die er toen in heel Amerika leefde. Hij heette William Randolph Hearst en hij had allemaal kranten. En die Hearst was zo machtig, dat hij een revolutie in Mexico gewoon een paar uur eerder kon laten uitbreken, zodat zijn kranten de primeur hadden. En hij werd alsmaar rijker en rijker en wist op het laatst niet meer wat hij met zijn geld moest doen. Toen heeft hij hier in San Simeon deze heuvels gekocht en de rotsen die zijn uitzicht belemmerden gewoon laten opblazen en heeft hij daar een krankzinnig kasteel laten bouwen en daar gaan wij morgen naartoe.

– Een soort Croesus dus, vat mijn zoon samen, want hij zit op het gymnasium en zijn zuster in de brugklas en samen weten zij meer dan ik. Ik moet hen veel meer zelf laten kijken, niet alles steeds zo voorzien!

Wij kiezen het San Simeon Sands Motel en we zullen gaan eten bij de Italiaan die ik in het voorbijrijden zag lonken. Terwijl mijn vrouw en dochter zich verkleden en mijn zoon de parkeerplaats test op skatebaarheid, slenter ik er alvast even langs, om te koekeloeren of de deur van het restaurant mijn credit-cards vertoont. Tot nu toe loopt de reis van een leien dakje en ik moet deze smooth operator zien te blijven, in de ogen van mijn gezin. Nee. Wel drie andere merken, maar de onze accepteert men hier niet. Cash heb ik nog maar dertig dollar op zak. Pizza's op de kamer? Hij ziet er niet uit als een afhaal-Italiaan. Dus moet ik ergens geld zien te wisselen. Tussen de bladzijden van *Blue Highways*, van William Least Heat Moon, heb ik een reserve-elftal briefjes van honderd verstopt. Die had ik natuurlijk bij aankomst tegen dollars kunnen wisselen, maar ik hoop nog altijd op de koersval die mijn budget van de ene op de andere dag verdubbelt.

– Wat zoek je? roept mijn vrouw uit de badkamer.

– Niks, roep ik terug; ik heb ze al.

Met drie snippen steek ik de scenic, colorful, historical Coastway Number One over, om vast te stellen dat de beide banken dicht zijn. Omdat het zaterdag is, begrijp ik, aan de deuren rammelend. Ik heb hier in Californië nog niet één keer zonder problemen kunnen wisselen bij een bank. In kleinere plaatsen kreeg ik al tweemaal te horen dat alleen rekeninghouders of ingezetenen vreemde valuta mochten ruilen, zodat ik eerst omzichtig vriendschap moest zien te sluiten met een autochtoon die ons uit de brand wilde helpen. Van een afstandje, dekking zoekend achter vier milkshakes en twee bekers popcorn, volgden wij zijn wisseloperatie. Net the A-team, borrelde mijn dochter door haar rietje.

Zakkig, voel ik mij in zulke situaties. Je bent nog goed voor honderden guldens, maar toch kom je hopeloos vast te zitten in een Joegoslavies spookdorp, omdat je geen dinars meer op zak hebt en alle banken dicht zijn – ze vieren er vandaag Sint Pancratius en Pancratius blijkt de beschermheilige van de ketellappers en de bankbedienden. Of u heeft nog precies tweeëndertig franse francs en net voldoende benzine om België te halen, maar dan rijdt u abrupt in de fuik van een nieuw stuk franse tolweg dat vierendertig francs kost en panies pluist u alle plunjes na maar u vindt niet meer dan een muntje van vijftig centimes, onder uw kokosmatje, dus u kunt er niet op, op die tolweg en komt u maar even in het kantoortje. Nee, girocheques verzilveren wij hier niet; probeert u het in dat dorpje daar. Dan moet u wel hard rijden, anders is het vier uur en gaat de kas dicht. Goddank stapt u om tien minuten voor vier het postkantoortje binnen. Desondanks wil men u niet meer helpen. Maar de kas ging toch pas om vier uur dicht? Inderdaad en daarom zijn wij hem nu aan het opmaken, anders kan hij niet om vier uur dicht. En het enige hotel is er complet, dus die nacht slaapt u op het dorpsplein, in uw auto en na thuiskomst laat uw vrouw zich van u scheiden.

Nee, dan Amerika! Fluitend tovert de baas van ons Motel mijn hollandse guldens om in dollars. Ik krijg een biljet van honderd en nog wat los groen. Plus twee quarters, ten bewijze dat hij niet zomaar wat teruggeeft, maar wel degelijk de wisselkoers heeft aangehouden.

– Let niet op de prijs jongens, neem vanavond maar eens wat je het lekkerste vindt; spoor ik ons aan, bij de Italiaan.

Als allen uitgebreid hebben besteld, zie ik onderaan het menu in een dreigend rood kadertje staan:

NO HUNDRED DOLLAR BILLS ACCEPTED

– Pappa is zo terug jongens, zeg ik.

– Zijn sleetje heette toch Rosebud hè? vraagt mijn dochter de volgende morgen.

– Heel goed Kim, hoor ik mijzelf zeggen. Waarom antwoord ik niet gewoon Ja schat? Ik was vergeten dat zij *Citizen Kane* heeft gezien. Wij natuurlijk ook. En ieder jaar kom je wel ergens een artikel over The Enchanted Hill tegen, met afbeeldingen. Maar als je, na een busrit van twintig minuten eindelijk boven, het paleis uit de ochtendmist omhoog ziet Toonderen, herken je niet wat je ziet: deze orgiastische bouwkunst is zo extreem, dat zij zich niet geloofwaardig laat fotograferen. Je kunt het Superkitsch noemen, maar dat is net zo pedant als wanneer ik, onder strenge geleide rondneuzend in een van de tweeëntwintig in goud en marmer uitgevoerde gastenbadkamers, mijn vrouw beloof dat ik thuis ons Toilet weer eens zal witten. Hearst Castle is een volslagen uniek, autonoom kunstwerk en de megalomane magnaat en Julia Morgan, zijn architecte, waren twee van de grootste romantici dezer eeuw.

– Wat ik later ook nog voor huizen zal zien en hoe mooi die ook zullen zijn – altijd zal dit kasteel er naast staan in mijn gedachten, vat mijn dochter haar verbijstering samen.

– Dat is eigenlijk jammer, prevelt zij, als wij met de groep bezoekers die voor Tour 3 heeft gekozen staan opgesteld aan de rand van de immense Roman Pool, het binnenbad waarvan iedere vierkante centimeter is betegeld met glinsterende, Venetiaanse mozaïeksteen. Heel Hollywood kwam hier zwemmen in het weekend. Greta Garbo, Valentino, Douglas Fairbanks, Mary Pickford. Hoewel er geen druppel van toen meer tussen zal zitten, wordt het water onverminderd als heilig beschouwd. Je mag er je hand niet eens in steken.

Dan wil ik een grapje maken. Zo begint het dikwijls. Mijn zoon staat voor mij, aan de rand van het bad. Ik tik hem op zijn schouder, hij draait zich om, ik trek een dreigend hoofd en doe alsof ik hem een zet wil geven. Hij speelt mee, bukt zich en stapt in een pijlsnelle skate-beweging opzij. Nu verlies ik mijn evenwicht, val, en struikel over de bassinrand. In de laatste halve meter van mijn duikvlucht trek ik komische benen, om aan te geven dat het geen ongelukje is, maar opzet, wat ik aan het doen ben. Ik heb er geloof ik ook nog een Rawhide-kreet bij gegeven. Er fonteint een galm van afgrijzen uit onze groep als ik de rimpelloze spiegel breek.

– Nice warm water! roep ik, als ik weer bovenkom. Mijn gezin heeft zich met rode koppen van mij afgewend. Vijf Japanners helpen mij kwetterend op het droge. Drie anderen nemen foto's van me; in Tokio zal ik, op huisfeestjes, nog jaren druipend worden doorgegeven.

Onze gids, door woede met stomheid geslagen, wijst mij buiten in een onbelopen hoekje een vierkante meter zon toe, om te drogen. Ik moet hier blijven staan en mag vooral niet bewegen dreigt hij; aan het einde van de rondleiding komt hij mij halen.

Daar gaat mijn groep een volgende zaal van de gastenvleugel binnen. Mijn vrouw en zoon zien niet naar mij om, maar vlak voordat zij, als laatste, de Middeleeuws bedoelde deur doorgaat, zwaait mijn dochter nog even naar me, troostend, besmuikt en half over haar schouder.

Onze volgende etappeplaats is het mondaine badstadje Carmel, waar het strandzand zo wit is, dat ik mijn ogen er niet droog bij weet te houden. Duinen hebben ze hier. De golven halen vandaag de hoogte van nederlandse lantarenpalen en de eekhoorns eten uit je hand.

– Blijven we hier nou eens een paar dagen lekker aan het strand liggen? smeekt mijn dochter. Zij houdt niet van autorijden. De afstanden ontgaan haar en ze begrijpt de kaart niet.

– We zien wel, zeg ik.

– Maar we gaan nog naar Disneyland hè? wil zij voor de zoveelste keer zeker van mij weten. Haar a's worden steeds een toontje hoger.

Op het strand heeft zij de volgende morgen twee eekhoorns bijna zover dat zij een nootje uit haar mond durven eten, wanneer een Spartaans gebouwde surfer zich naast haar in het zand laat vallen. De jongen is geroutineerd in de voordeligste pose neergekomen, ondersteunt zijn kerngezonde blonde hoofd met een machtige arm, laat zijn zonnebril zakken op het puntje van zijn neus en begint mijn dochter af te kijken. Zij draait zich van hem weg en leest haar handpalm; kwaad dat haar Knabbel en Babbel het hazepad hebben gekozen.

Worstelend met een tegenwapperende zondagskrant, onderdruk ik, nu al voor de vijfde of zesde keer deze reis, de neiging om Kssst te sissen. Ik lig op een afstand van drie meter en negentig centimeter; deze zomer verkrijg ik op het strand de juiste tussenruimte tot mijn kinderen door hun leeftijd te delen op de mijne en deze coëfficiënt in meters uit te drukken.

– Zullen we gaan zwemmen pap? vraagt ze dringend.

– Dat moesten we maar doen pop, zeg ik achteloos.

Wij zullen vanavond gaan eten in The Hog's Breath Inn en zijn daar behoorlijk opgewonden van. Je moet er een popperig straatje voor in, een trapje voor af en de houten poort van een ranch voor door. Dan sta je pardoes op een patio, waar meer dan honderd mannen en vrouwen zich luidkeels ophouden aan lange houten tafels. Manshoge kunstcactussen verstrooien Morricone's muziek uit *The Good, The Bad and The Ugly*. Alle vrouwen hebben zich zo fataal mogelijk opgemaakt en de mannen bewegen zich op hun breedst.

Iedereen kijkt blasé en beweegt zich lazy, maar in werkelijkheid is men als een veer zo gespannen, omdat het ieder moment kan gebeuren: de eigenaar, Clint Eastwood, komt door zijn poortje geslenterd en stapt hun amerikaanse droom binnen. Iedere avond komt hij even kijken, hebben ze mij in het hotel verzekerd, maar je weet nooit hoe laat. Tenzij hij aan het filmen is. En behalve Burgemeester, is hij ook het Hoofd van de Politie in Carmel, dus u begrijpt.

Op de patio is geen plaats meer. Je kunt ook binnen zitten, maar dan moet je aansluiten bij een rij hongerigen die zich uitstrekt tot over de horizon van de geschilderde woestijn op de achtermuur. Een Steak Dirty Harry kost twintig dollar, zie ik net op tijd.

– Er is geen plaats hier jongens, laten we maar moven, zeg ik.

– Moven, papegaait mijn zoon.

– Maar misschien komt hij nog! protesteert mijn dochter.

– Ik heb eigenlijk veel meer zin in een simpele pizzeria, kap ik; ik maak morgen wel een afspraak op het stadhuis.

Vriendelijke mensen in het witte houten landhuis met veranda, de volgende morgen. Waar gaat het over? Wil ik hier iets kopen, in Carmel? Iemand van de business-facilities spreken? Nou nee, eigenlijk meer een kort gesprekje met de burgemeester, voor een hollands dagblad wil ik. Of weekblad of maandblad, dat weet ik nog niet. Ben ik free-lance journalist? Jaja. Dan zal men Miss Roberts even roepen, die de agenda bijhoudt voor Mister Eastwood. Dag Miss Roberts, ik ben die en die en het zit zus en zo, dus kan er dit of dat, dan en dan misschien? Veel plussen en minnen, paar haken en ogen. Heb ik aan vijf minuten voldoende? Dan zou het the mayor morgenochtend wel schikken. O absoluut, Miss Roberts! Want het zijn maar een paar vragen, waar het nederlandse publiek namelijk zo dolgraag een antwoord op wil hebben. Dus wij zijn zo klaar, de heer

Eastwood en ik. In feite is het mij alleen te doen om een foto met opdracht voor mijn dochter, denk ik. Kwart over elf dan, morgenochtend? Hier, Miss Roberts? Hier, mijnheer Van Kooten. Splendid! Ik zal er zijn.

's Avonds eten wij in dezelfde pizzeria, maar nu met twee flessen Barolo, omdat ik een afspraak met Clint Eastwood heb weten te maken.

Tegen elven rijden wij rozig naar ons hotel. Daar aangekomen, verwart mijn onderbewustzijn onze Dodge met al mijn vroegere, eigen auto's. Hoe gingen die sloten ook alweer? Ik druk in elk geval het vergrendelingsknopje van mijn portier naar beneden, stap uit en smak de deur dicht. Gehoorzaam klikken alle portieren in koor op slot. Pas dan zie ik, bij volle maan, mijn sleuteltjes geschrokken nabungelen, in het contact. Ik heb geen reserve-exemplaar. Waarom krijg je die nooit, bij een huurauto?

– Gaan jullie maar naar bed, fluister ik hees; ik verzin wel wat. Zij druipen af. Mijn vrouw slaat haar armen troostend om hun schouders.

Lachende krekels, schaterende meeuwen, giechelende eekhoorns, verder geen hond. Er brandt geen licht meer in het hotel en ik hoop op een wonder. Rammel eerst wat in het wilde weg aan alle portieren, peuter dan een tijdje met een tandenstoker in het slot van de kofferruimte en roep godverdegodver door de spleet tussen chassis en motorkap.

Omdat niets helpt, bonk ik een paar keer radeloos met mijn hoofd op het dak en dan kom ik op het idee naar het politiebureau te looppassen.

Ik maak de drie dienstdoende agenten duizend excuses en leg uit hoe ik zo dom kom. Ten eerste omdat ik Nederlander ben, maar ook dat dit mijn eigen auto niet is en omdat ik zo gecharmeerd ben van Carmel. Zij kijken er niet van op en wijzen dat ik daar zolang moet wachten, op die kale harde bank voor de domme mensen. Kan ik straks misschien met een patrouillewagen meerijden, zal die zien wat hij voor me doen kan.

Ik lees een folder over Oudedagsvoorzieningen voor Senior-citizens, een Brochure tegen Drugs en Alcohol en het vouwblad Wat te Doen bij Burglary en wil net beginnen aan de Handleiding tegen het Oplopen van Venerische Ziekten, wanneer Clint Eastwood binnenstapt. Eastwood. Clint. Clint Eastwood! Zie ik zo langslopen. Heeft twee politiemannen bij zich, dikke buiken, cowboyhoeden op. Zelf is hij blootshoofds, lang en slank. Zwarte corduroy broek, visgraat tweedjasje, open hemd van spijkerstof eronder. De neonbuizen zoemen een fanfare. Instinctief ben ik overeind geschoten, met de Geslachtsziektenfolder op de naad van mijn broek. Ik sta nog net niet in de houding. De burgemeester houdt zijn slepende loopje even in en werpt mij een staalblauw, vragend knikje toe. Ik kop het keurig terug. Moet morgen informeren naar zijn plannen voor die Charlie Parker-film. En of hij gouverneur van California wil worden. Is ook een goede vraag. Dat zijn er al twee, denk ik en ga weer zitten.

Nu duikt hij met zijn beide begeleiders op achter de ruit en zie ik hem aan de drie agenten vragen wat die man met die roodverbrande neus daar moet, op de bank voor domme mensen. De magerste agent zegt iets terug, de twee cowboyhoeden beginnen te lachen en ook de mond van Eastwood plooit zich in een luie grijns, als hij in mijn richting kijkt. Dan buigt hij zich over een grote, roodlederen map, die zes handen hem aanreiken.

Steels bekijk ik de ijzersterke scène in het aquarium; zo magnifiek ontspannen zal ik Clint Eastwood nooit meer zien acteren. Een nieuwe agent stapt nu mijn wachthal binnen. Of ik maar met hem mee wil rijden. Gehoorzaam sta ik op, steek de foldertjes netjes bij me en wens de Burgemeester met een buiging goedenavond. Good Evening, miem en mompel ik zelfs nog. Maar de ruit spiegelt of hij wil me niet zien, want hij kijkt wel even op van het nachtrapport, maar dwars door mij heen.

Nu stap ik van een A- in een B-film: de zwartwitte Patrol-Chevrolet is afgeragd zoals het hoort en ik mag voorin zitten. Ik zou dolgraag iets verstandigs zeggen over het enorme geweer dat rechtop tussen ons in staat, maar weet amper of het een stengun of een mitrailleur is. Dus zwijg ik, wat de nachtagent wel goed uitkomt. Zijn ogen krijg ik niet te zien; hij

79

houdt zijn pet op. Waar staat mijn auto ergens? Bij The Normandy Inn agent. En wat is het nummer? Weet ik niet. Merk? Chrysler. Nee Dodge! Is dat hem daar? Ja agent! Nee, toch niet. Die daar dan? Nee sorry; ook niet. Hij zucht demonstratief om zoveel onnozelheid en schakelt het zoeklicht in, op zijn dak. Deze dan Sir? Ja, die is het!

Traag stapt hij uit en loopt er omheen. Dan sjokt hij terug naar de politiewagen en trekt een lange, metalen liniaal onder zijn verwoeste stoel vandaan. Hij steekt hem rechtop tussen het raampje en de deur, haalt hem twee keer heen en weer en hoor: de sloten springen zingend open. Huilend van geluk steek ik hem het 20-dollarbiljet toe dat ik al de hele weg in mijn vuist hou geklemd, maar dit duwt hij grommend terug.

– But it is for the yearly Policeman's Ball! dring ik aan, maar hij heeft al Goodnight gemompeld, stapt in en deint weg.

– Die afspraak met Clint Eastwood kan niet doorgaan jongens, zeg ik bedroefd aan het ontbijt; hij moest plotseling een nieuwe film maken, dus laten we maar lekker gauw hier weggaan en in één keer doorrijden naar San Francisco.

Niemand sputtert tegen en vier uur later betrekken wij in het Bellevue Hotel een fantastische dubbele kamer met vier bedden en een riante, vooroorlogs beloodgieterde badkamer ertussen. Zes arendsogen volgen al mijn schreden. Heb je de auto afgesloten? Laat zien die sleuteltjes. Waar zijn de paspoorten? Geef hier! En kom bij dat open raam vandaan! Maar wanneer ik zeg wat ik in *The San Francisco Examiner* zie, herwin ik ogenblikkelijk mijn wankele gezag.

– Wat zeg je pap?

– Under The Cherry Moon, lees ik voor; die film van Prince. Die draait hier al. Zullen we daar heen gaan? Ze beginnen te springen en te gillen en mijn dochter wil zich er helemaal voor omkleden, maar we moeten ons haasten in verband met de aanvangstijd en daarom roep ik een taxi. De chauffeur reageert schouderophalend als ik hem de naam van het theater geef en zet ons driehonderd meter verderop voor de ingang af. Uit gêne betaal ik hem de dubbele ritprijs, stap uit, geef, zoals ik dat Clint Eastwood wel eens heb zien doen, met de opgerolde krant een joviale klap op zijn dak, ten teken dat hij weg kan rijden, wat hij ook doet en dan realiseer ik mij dat ik mijn portefeuille op zijn voorbank heb laten liggen. God zij gedankt en bestaat en geloofd en geprezen springt zijn eerstvolgende stoplicht op rood en kan ik, rennend voor ons aller leven, net op tijd de deur van zijn wagen openrukken en mijn mapje met alles erin van de zitting graaien.

– Jezus! zegt mijn dochter in afgrijzen, als ik hoestend bij hen terug ben.

– Het is toch niet te geloven met jou hè! stampvoet mijn zoon.

– Geef hier die portefeuille, sist mijn vrouw in het donker van de zaal.

Toch vallen alle uitgehaalde stommiteiten in het niet bij mijn bêtise, straks, in deze bioscoop. Ik zal het proberen uit te leggen, maar daar moet ik weer even voor terug, als u nog puf heeft.

Toen ik twaalf was en mijn haagse voetbalclub Afdelingskampioen werd van District West II A, kregen alle pupillen en junioren een gala-kleurenfoto van het eerste elftal. Gek was ik met de spelers op die foto. Op weg van de club naar huis stapte ik wel drie keer van mijn fiets om, in de kant van de sloot langs het Zuiderpark, de ansichtkaart met mijn elf helden te ontleden. Twaalf, als je de verzorger meerekende, maar die kon ik wegdenken.

's Avonds in bed, fris gepoetst en gewassen en met voor de nacht gekamd haar, bekeek ik hem eerst een half uur in mijn eentje. Daarna riep ik mijn moeder. Die kende wel een paar namen uit dat Eerste Elftal, maar zij had ze nooit zien spelen en foto's van VCS'ers haalden zelden de haagse kranten.

Dit was dus de eerste keer dat mijn moeder zag om welke mannen alles draaide in mijn kleine leven. Nog geen televisie, nog geen grammofoonplaten, zelfs nog geen jeugdblad in de bus – van wie moesten wij in hemelsnaam houden?

– Kijk mam, dit is het Kampioenselftal, zei ik en ik draaide de foto, die ik op mijn kussen had klaargelegd, langzaam om. Mijn moeder keek mee, over mijn schouder. Haar haren bejeukten mijn wang.

Toen zei ik: en nou moet jij aanwijzen wie jij de knapste vindt mam. Het is mogelijk dat ik 'mooiste' of 'leukste' heb gezegd maar mijn verzoek liet haar in elk geval geen speelruimte; ze moest en zou er eentje aanwijzen. Ik bad dat zij de man zou kiezen van wie ik mijn ogen niet kon afhouden, in het echt zomin als op de foto. Bep van Es, de briljante rechtsbinnen die altijd voetbalde met een elastiekje in zijn haar zodat dit tijdens de wedstrijd niet voor zijn hemelsblauwe ogen wapperde.

Mijn moeder inspecteerde de hurkende rij van vijf (Bep had de bal) en de zeven staande mannen, schoof de foto over het kussen terug onder mijn neus en zei: nounee, ik vind ze eerlijk gezegd alle twaalf niet bepaald moeders mooiste.

En toen stond ze op, om in mijn spiegel boven mijn wastafel nog wat aan haar haar te frutselen, want ze moesten ergens heen, die avond.

Hoe kun je als ouder zo stom zijn om een kind niet bij te vallen in zijn tijdelijke adoratie? heb ik jarenlang gedacht. Als je er niks aan vindt, dan laat je dat toch niet merken? Waarom zou je?

Wij hebben alle vier een emmer met popcorn en een liter Coca-Cola op schoot. De kinderen zitten tussen ons in, zodat wij goed kunnen kijken hoe zij kijken; niets is heerlijker dan het zien van hun genieten. Ik ben gek op Prince en haal als mijn zoon naar school is de elpees Parade en Purple Rain nog wel eens van zijn kamer, maar deze film is niet te pruimen, voel ik al na vijf minuten. Af en toe giet Prince een Chaplineske weemoed in zijn blik en dan zucht mijn dochter, oprecht bewogen: Ach Gossie! En wanneer Christopher Tracy (Prince) een stukje heen en weer loopt op zijn hoge hakken en opgelegd koket met zijn heupen wiegt, moet mijn zoon hierom schateren! Hevig maar kort, om niets te missen. Over hun hoofden trekken mijn vrouw en ik vergoelijkende gezichten van onbegrip naar elkaar, maar als na anderhalf uur het licht weer aangaat en mijn zoon en dochter verdwaasd in het niets blijven staren en zuchten dat dit de mooiste film is die ze ooit hebben gezien, zeg ik, geen tegenspraak duldend: dit was een schandalig slechte rotfilm, jongens.

Zij kijken mij aan of ik een vreemde ben. Begrijpen mij niet en denken dat ik een grapje maak.

– Nou ik vond het de beste film die ik ken, zegt mijn dochter strak, naar het dode doek.

– Ik ook, zegt mijn zoon en staat op.

– Lul, zegt mijn vrouw en zij volgt hen.

De volgende morgen begin ik weer vrolijk van voren af aan.

– Zullen we spannend met de boot naar Alcatraz gaan jongens? vraag ik; daar kun je je een half uur laten opsluiten in een echte cel, om te weten hoe dat was voor die gangsters!

– Ik ga niet mee hoor, waarschuwt mijn zoon.

– Als je het maar uit je hoofd laat, dreigt mijn vrouw.

Ze hebben gelijk; want wanneer de boot van het eilandje zal zijn teruggekeerd op Fisherman's Wharf, bonkt er, voor het eerst in de geschiedenis van deze excursie, nog een hollandse mijnheer op de deur van cel 4711.

– Nee we gaan weg, neemt mijn vrouw de leiding; en we rijden gewoon langs de kust naar Los Angeles.

– En Yosemite Park dan? protesteer ik; en The Grand Canyon en Mojave Desert? Daar komen we anders nooit meer!

– Dat geldt hier voor iedere meter, zegt zij Oosters. En hoeveel hebben we nog? Zes dagen. Dat is dus Gekkenwerk.

– Ik kan 's nachts doorrijden, drein ik. Wat wil jij Kim?

– Naar Disneyland, zegt ze. Ze leest het blad *People*, met Prince op het omslag. 'Would you trust this man with your daughter?' staat er.

– En Kas?

Hij houdt zijn koptelefoon van zijn oren en ik hoor Prince blikkeren.

– Wat wil jij? We zijn erom aan het stemmen.

– Disneyland en dan nog een paar dagen aan het strand en een beetje skaten, schetst hij.

Dus rijden we, met The Eagles voluit op de autoradio, nog een keer The Golden Gate Bridge op en neer en zetten dan koers naar het Zuiden.

Na honderd kilometer laat mijn vrouw haar hand een stukje meerijden boven op de mijne. De banden zoemen een nieuw bruiloftslied.

De rit van tweeënhalve dag wordt, op last van mijn vrouw en kinderen, regelmatig onderbroken. Bij het eerste panorama glijdt de zonnebril van mijn neus en stuitert de rotswand af, maar dat is, afgezien van een omgestoten en gebroken vaas in de Holiday Inn van Glendale, het enige ongelukje in duizend kilometer.

En dan bereiken wij het beloofde land – Disneyland, The Happiest Kingdom on Earth. Ik betreed het als 45-jarige, om half negen 's ochtends. Tegen elven ben ik zeventien. Om half een – we hebben dan al gevaren op The Mark Twain Steamboat, twee keer The Pirates of The Caribbean gedaan en onszelf ouderwets horen gillen in The Haunted Mansion – voel ik mij zeven. Deze leeftijd houd ik, de rest van de dag. Wel slip ik tegen enen, wanneer ze mij even uit het oog verliezen omdat hier immers niks mis kan gaan – alles wat je vergeet wordt je op een holletje achterna gebracht en nog voordat je gevallen bent, heeft het Disneyland-personeel je al weer overeind geholpen – dorstig naar een van de veertig openluchtcafés, om een biertje.

– Sorry Sir, no alcohol! straalt het frisse meisje.

– Where can I get a beer in Disneyland? vraag ik, dubbel zo vriendelijk. Zij schudt ontkennend haar blonde krullen: no alcoholic drinks in Disneyland, Sir.

Met huiver realiseer ik mij dat wij, voor het eerst in dik twee weken, de dag moeten zien door te komen op Frisdrank.

– Wat ben je stil? vraagt mijn vrouw als we, met witte knokkels, uit The Big Thunder Railroad stappen; vond je het echt zo eng?

Somber deel ik haar mee dat dit koninkrijk geen alcohol kent.

– Nou, dan drinken we eens een dagje niet, schokt ze haar schouders, zullen we nog een keer naar Pinocchio gaan?

En zij pakt mijn hand, alsof dit de haagse kermis is op een Koninginnedag in de jaren vijftig en zij mij meetrekt naar een attractie waar wij intiem kunnen zijn, buiten het bereik van haar vriendinnen. Ik volg haar met gebogen hoofd. Nog geen peukje heb ik hier zien liggen. Tientallen jongens en meisjes bewegen zich, in goedgeperste uniformen, glunderend en vegend door The Magic Kingdom. Die netheid werkt aanstekelijk: types op wier gezicht staat te lezen dat zij gewoon zijn hun proppen en peuken onbeschaamd rond te strooien, zie je voor hun onnozelste snippertjes naar officiële prullenmanden speuren. In de loop van deze dag kom ik meer dan eens dezelfde gezinnen tegen en je ziet ze langzaam veranderen: de vaders, niet weinig trots dat zij het karwei zonder alcohol weten te klaren, tonen een sinds lang vergeten, milde glimlach en de moeders, die na iedere bocht op een nieuwe jeugdherinnering stuiten, worden zienderogen joliger en mooier.

Als ik tijdens de Totally Minnie Parade, de driemaal daags gedanste en live gezongen optocht van alle Disney-figuren, Knabbel en Babbel voorbij zie trekken, kan ik mijn tranen ternauwernood bedwingen en wanneer wij 's avonds onder de blote sterrenhemel en bij vijfendertig graden Celsius het voltallige Count Basie Orchestra krijgen voorgeschoteld terwijl driehonderd opa's en oma's een spontane demonstratie stijlswingen geven, moet ik snel de nieuw gekochte Goofy-zonnebril opzetten om mijn stromende ogen te maskeren.

Om elf uur 's avonds kijk ik, door een gordijn van tranen, naar The Electrical Parade en dan wordt het ook mijn dochter te veel. Ze kijkt niet langer of er niemand kijkt, slaat haar armen om mijn hals en geeft me een klapzoen.

– O waarom kunnen we hier niet met zijn vieren blijven wonen? huilt ze, met aangezette uithalen. Twaalf, is ze nu.

Dat kan de jongen die de volgende dag, op de rotsen van Laguna Beach, bij haar in de buurt komt liggen, natuurlijk onmogelijk weten. Voor alle veiligheid neem ik een foto van de situatie. Als ik zo klikloos mogelijk heb afgedrukt en ongezien wil

terugklauteren, glijd ik in een spleet en verstuik mijn enkel. Maar ik laat niets merken en in Holland wordt alles anders: ze zullen mij op geen fout meer kunnen betrappen.

Zodra wij veilig thuis zijn bel ik Schiphol, vraag naar de Lost and Found-department en informeer dwingend of zij al iets weten van mijn in het toestel achtergelaten videocamera.

Er schijnt een kostelijk stukje op te staan dat mijn zoon, in het geheim, van mij heeft gefilmd. Het speelt zich af in Marineland, waar wij de middagvoorstelling van de Killer-Whales Orky and Porky bijwoonden. Ik was even drie ijsjes gaan halen voor mijn gezin. Bij terugkomst moet mijn omzichtige manier van voortbewegen, op een halve meter afstand, dodelijk precies zijn nagebootst door een als Marcel Marceau uitgedoste komiek. Minstens tweehonderd meter zou die achter mij hebben aangelopen zonder dat ik in de gaten had waarom de tribune zo lachte.

EEN ABSTRACT GEVOEL

Mijn grootvader werd geboren in 1883. Hij was een gevoelige timmerman met een vrouw en twee dochters, van wie er eentje mijn moeder zou worden. Mijn opa was niet godsdienstig, kende perioden van heuse honger en bittere armoede en ontleende zijn hoop op een beter bestaan aan de hagepreken van Ferdinand Domela Nieuwenhuis; de voormalige Lutherse Predikant die in 1893 het Nationaal Arbeidssecretariaat had opgericht. 'Us Ferlosser', heette Domela Nieuwenhuis in Friesland, van waaruit hij zijn kruistocht tegen de vijf K's begon: Kapitaal, Kazerne, Kerk, Kroeg en Koning.

Wanneer mijn opa verhaalde hoe hij ooit, in Amicitia, een bijeenkomst van Domela Nieuwenhuis bezocht waar de toegestroomde arbeiders gingen staan toen Hij de zaal binnenkwam en hoe Domela toen bezwerend zijn handen hief en vroeg: mannen, waarom staan jullie òp voor mij? stroomden, elke keer opnieuw, tranen van ontroering over zijn wangen. Als mijn moeder zich die tranen van haar vader herinnert, hardop en dertig jaar na dato, moet zij zelf huilen. Terwijl, nu ik dit opschrijf... enfin. Wij zijn een geslacht van huilebalken. Ik heb al genoeg aan het beeld van opa's fiets, tweehoog achter op hun balkonnetje. Hoe die oma in de weg stond, bij het wassen.

– Doe die fiets toch de deur uit Jan, zuchtte ze dan; je weet zelf wat de dokter heeft gezegd.

– Ja, zei opa. Hij wilde er niet van horen. Honderd maal was hij met die fiets uit vissen gegaan, 's zondagsmorgens, naar de Schie. Misschien had hij tien keer wat gevangen, maar daar was het hem niet om begonnen. Nee; de zon zien opkomen, naast hem tussen de boterbloemen zijn pakje brood, en een vroege koe die aan het achtereinde van zijn hengel sabbelde. Van al dat heerlijks was zijn fiets de enige getuige geweest en daarom kon hij hem niet wegdoen. De laatste twaalf jaar van zijn leven heeft hij er niet meer op gereden. Maar hij bleef zijn banden op spanning houden, keek na het zaterdagse pompen met een zucht naar de lucht en ging weer naar binnen.

Op zekere dag begon Domela Nieuwenhuis zo ongeveer het Anarchisme te prediken en toen haakte mijn Opa af. Standsverschillen moesten er blijven, vond hij. De genietende blik waarmee hij iemand kon kenschetsen als 'een echte heer', was gespeend van enige jaloezie of ironie. Willem Mengelberg, de dirigent van het Concertgebouworkest – dat was een Echte Heer. En Doctor Portielje, de directeur van Artis. Anton Pieck was een Heer, Plesman was een Heer en Domela Nieuwenhuis bleef een Heer, ook als anarchist.

Toen Oma was overleden kon mijn stilaan dover wordende opa de distributieradio eindelijk op zijn hardst zetten als er een concert werd uitgezonden. Ik had, voor de veiligheid, een sleutel van zijn woning en zo heb ik hem soms zien staan wanneer ik onaangekondigd langskwam met een doosje sigaren: met stramme armen meedirigerend, midden in de kleine woonkamer. In de slaapkamer stond zijn fiets nu aan het voeteneind van hun bed, tegen het roesten.

Bij ons thuis in de droomkeuken staat een door mijn opa getimmerd dressoir, in de kleine eetkamer pronkt een theekastje van zijn hand en ook de brievenhouder op mijn werkverdieping stamt uit de nalatenschap van mijn grootouders. Onvervangbare meubelstukken zijn het, in de strakke lijnen van De Stijl, al zal hij zelf zijn werk nooit zo hebben gekwalificeerd; dat heeft de geschiedenis voor hem gedaan. Ik zeg nu al twintig jaar dat ik ze allemaal een keer helemaal opnieuw zal schuren en beitsen.

Ik denk niet dat mijn opa ooit van Kunst heeft gesproken; laat staan dat hij in zijn leven een cent aan Cultuur heeft kunnen besteden. Eens per jaar ging hij naar een Concert in het Gebouw voor OK&W, op het schellinkje. En 's zondags blies hij Gezangen, op een metalen fluit. Als ik mij niet vergis was die bedrukt met een reclame van Calvé.

Hij had Smaak en vond veel zaken Mooi, zolang ze maar niet Modern heetten. Bij het bekijken van de eerste voetbalwedstrijden op de televisie toonde hij zich geschokt door de schaamteloos korte broeken van de spelers. En dan die Abstracte Kunstenaars! Al dat werk kon, wat hem betrof, net zo goed ondersteboven worden opgehangen. Kijk maar: met zijn ovale timmermanspotlood tekent hij, meesmuilend, de Compositie in Rood, Geel en Blauw van Mondriaan na, op de onderkant van de doos Elisabeth Bas-sigaren. Ik volg bewonderend zijn trefzekere werkmanshand met de roestvlekken.

Op de lagere school heb ik inmiddels geleerd dat ik niet kan tekenen. Ik krijg de wieken van de molen niet alle vier het zelfde en kan een vlag niet geloofwaardig laten wapperen. Ik laat langs een liniaal getrokken Mondriaanse driemasters met hoekig bollende zeilen te water op de gladde kant van het roodbruine kaftpapier. Tekenvellen, noemen ze dat. Het is dan 1952 en wat weet ik van Kunst? Niks.

Klassieke Muziek wordt er bij ons thuis niet beluisterd. Als ik, bij het draaien aan de afstemknop, ergens kort voorbij Drontwich op een stukje Bach stuit, laat ik dat met opzet even staan, om mijn vader 'zet af die zenuwemuziek!' te horen roepen. Op de middelbare school gaan de meestal vervallende uren Kunstgeschiedenis niet verder dan de Gouden Eeuw, behelst de Muziekles een stuk of wat, stikkend van het lachen gezongen Duitse Liederen (waarvan wij de tekst, door maar twee letters om te zetten, ongelofelijk schunnig kunnen maken) en

93

stopt het Literatuuronderwijs na De Dood Van Mijn Poes door Jacobus van Looy.

Wel gaan we nog een keer met de hele klas naar Panorama Mesdag in de Zeestraat, maar daar maakt de eerste groep het zo bont, dat de andere klassehelft, waartoe ik behoor, de trap niet eens meer op mag. Soms lees ik iets op eigen houtje en af en toe krijg ik, bij vriendjes thuis, spannende grammofoonmuziek te horen, maar afgezien van het open- en dichtschuiven van mijn Picasso-gordijnen doe ik niks aan kunst.

Zodra ik op kamers woon, word ik dubbel zo cultureel: ik draai mijn eigen jazzplaten (voorlopig nog de verkeerde), steel wel eens een boek met reprodukties bij De Slegte, drink koffie in het Museum, ga ieder weekeinde naar een klassieke nachtfilm en lift in juli of augustus naar Parijs. Van een duidelijke lijn of doelgerichte belangstelling is geen sprake: ik doe maar wat en weet van niks. Ruik aan alles, maar snuif nooit iets helemaal op.

Die toestand is gelukkig iets verbeterd. Ik proef nog steeds te weinig van te veel, maar loop tegenwoordig ten minste twee, drie, vier keer per jaar tegen Kunst op die mij raakt: midden in mijn hoofd en recht in het hart. Zo kwam mijn vrouw in maart van de tandarts terug waar zij, in de wachtkamer, een gouache van Domela onder ogen had gekregen. Zij had hem uit het verlopen tijdschrift gescheurd en opgevouwen in haar huishoudportemonnaie gestopt.

– Ik weet niet wat het is, maar ik heb hier iets mee, zei ze. Haar arm golfde tastend de lijnen na en ik voelde wat zij bedoelde.

– Die kleuren, zocht ik; die was ik helemaal vergeten. Die zie je nergens meer, tegenwoordig.

– Zo blauwgrijs waren vroeger de papieren rijksdaalders, herinnerde zij zich.

– En dat was het oranje van het allereerste plastic, schoot mij te binnen.

– Leeft die eigenlijk nog, César Domela? vroeg mijn vrouw.

– Ik dacht van niet hoor, corrigeerde ik haar alvast; maar ik ging snel naar mijn kamer, pakte het deel Coul-Egy van de plank en las in mijn encyclopedie:

Domela, César, eigenlijk Caesar Domela Nieuwenhuis (Amsterdam 15 januari 1900), Frans schilder en graficus van Nederlandse afkomst, schilderde aanvankelijk naar de natuur. Van 1922 tot 1923 verbleef hij in Zwitserland en schiep zijn eerste abstracte werken; in 1924 kwam hij in Parijs in contact met Mondriaan en Van Doesburg en in het daaropvolgende jaar sloot hij zich bij de Stijl-groep aan.
Van 1927 tot 1933 werkte hij in Berlijn, sedertdien in Parijs. Zijn abstracte composities houden vaak het midden tussen schilder- en beeldhouwwerk; voor de kunstenaar is het materiaal onder-

geschikt aan de innerlijke realiteit die hij tracht weer te geven. In 1946 richtte Domela een groep op die zich Centre de Recherche noemde.

Ik klapte deel 6 dicht en herinnerde mij een ander verhaal van mijn opa: hoe ze met een grote groep haagse timmerlieden naar Amsterdam waren gegaan, om de begrafenis van Ferdinand Domela Nieuwenhuis bij te wonen, in 1919, en dat hij nooit van zijn leven meer zoveel mensen op de been had gezien. Kapot waren ze ervan en diep teleurgesteld dat Domela's zoon Caesar de socialistische fakkel niet overnam, omdat hij liever schilder wilde worden.

U kent dat wel: eenmaal getroffen door een naam, struikel je er vervolgens dagelijks over. Domela, Domela. Artikelen in binnen- en buitenlandse bladen en, warempel: een expositie in Amsterdam.

– Domela? Nou en of die nog leeft! verzekert ons, half april, de eigenaresse van de galerie waar twintig van zijn gouaches en collages hangen. Dat wij er eentje willen hebben, voelen we allebei hevig. Wij zijn nu bijna twintig jaar getrouwd. Als wij het geld dat wij hebben bespaard op onze scheiding nu eens in een stuk Officiële Grote Kunst staken? Een echte naam? Na uren van schuifelen en twijfelen en nachtje over slapen en morgen nog eens terugkomen, kiezen wij een gouache/collage uit 1970.

– Maar het is natuurlijk wel een goede belegging voor de kinderen; veronderstelt mijn moeder, als ze hem twee weken later bij ons thuis ziet hangen, boven het dressoir van haar vader. Onze Domela kostte namelijk *f* 10.000,–: verreweg de grootste uitgave die ik ooit had gedaan, in de sector tertiaire levensbehoeften. Dank zij de Kunstaankoop-subsidieregeling van WVC mag ik, via financieringsmaatschappij De Lage Landen, vijf jaar over de betaling doen zonder dat ik een cent rente ben verschuldigd: een genereuze regeling die alleen geldt voor de aanschaf van werk van Nederlandse Kunstenaars. Ze hoeven hier niet te wonen, maar moeten nog wel in leven zijn. Aan deze voorwaarden voldoet César Domela.

Op 30 april zullen wij voor een paar dagen naar Parijs gaan, waar wij, liefst op 1 mei, de grote overzichtstentoonstelling 'Domela, 65 ans d'Abstraction' willen bezoeken. De avond voor ons vertrek belt onze beste vriendin D.

D. is belangrijk en alwetend in de wereld van de nederlandse beeldende kunst en juicht dat ze een verrassing heeft: zij heeft een afspraak voor ons gemaakt, bij Domela thuis! Heeft verteld dat de heer en mevrouw Van K. een gouache van hem hebben gekocht en of hij hen een half uurtje zou willen ontvangen.

– Fantasties! Wat lief van je! roept mijn vrouw,

maar ik sputter geschrokken tegen en mopper dat het roven van al is het maar één minuutje geen pas geeft, bij een kunstenaar van zevenentachtig jaar.

– En waar moet ik met hem over praten? roep ik handenwringend, op de ringweg rond Antwerpen. Ach mijnheer Domela vertelt u nog eens hoe u altijd met Piet Mondriaan ging biljarten en dat zo'n potje uren kon duren omdat Piet elke carambole volgens de strengste lijnen wilde maken? En weet u nog iets leuks over Kurt Schwitters? Als u met hem door Berlijn wandelde, of Hannover? Hoe Kurt dan de vuilnisbakken leeghaalde, om te verwerken in zijn collages?

– Ja, zegt mijn vrouw, dat heb ik ook gelezen. Goed dat we ons een beetje hebben voorbereid.

– Maar dan nog! piep ik; wat heeft die man aan zo'n gesprek! Zeg mijnheer Domela is het waar dat Hans Arp, met wie u het tijdschrift Plastique heeft opgericht, elke vraag van journalisten consequent beantwoordde met het dansen van een pirouette?

– Rustig nou maar, sust mijn vrouw; jij nog een mandarijntje?

– Nee, ik krijg geen hap door mijn keel, knor ik en dan stoppen we in Lille, om wat te eten. Aan tafel kanker ik maar door, in groeiende zelfhaat, want ik herken het tikken van mijn ingebouwde vreeswekker. Het is altijd het zelfde: eerst niet durven en achteraf opscheppen. Ja hoor, daar ga ik weer: dat ik mij een artiestenvlo voel en dat zo'n gesprek onbegonnen werk is. Dat Domela van al die giganten nou toevallig de laatste overlevende was, mocht toch geen reden zijn om hem lastig te vallen?

– Je maakt je weer veel te druk om niks, zegt mijn vrouw; en in het hotel moeten we ze meteen in het bidet zetten. Zij neemt de kolossale bos paarse tulpen alvast op schoot.

Daar moet ik morgen de Métro mee in, ril ik, maar wanneer wij ons aan de receptie van het Parijse hotel melden hoor ik de barpianist 'Tulpen uit Amsterdam' inzetten. Dat is toeval, denk ik en ik boek het als een geruststellend voorteken.

Recht voor het Musée d'Art Moderne de la Ville de Paris is het markt, de volgende morgen. Tientallen bloemenstallen, met bijna enkel tulpen. Ik geef die van ons zolang af bij de portier van het Musée en probeer intussen de zegswijze 'water naar de zee dragen' in het frans te vertalen, om straks een grapje te kunnen maken wanneer ik mijn paarse ruiker zal overhandigen aan Ruth Deremberg, de vrouw die Domela in 1926 ontmoette en nooit meer verliet. In 1933 vluchtten zij van Berlijn naar Parijs, want Ruth was joods en Domela's kunst entartet.

Wij hebben ons verslapen en maar twee uur de tijd. Dat hadden er zes moeten zijn: de expositie telt meer dan tweehonderd werken. Reliëfs, sculpturen, schilderijen, gouaches, foto's, affiches, typografische ontwerpen. Roodkoper, plexiglas, aluminium, palissander – Domela blijkt ook een begenadigd timmerman en metaalbewerker. Wist ik allemaal niet.

Twintig vitrines vol boekjes, tijdschriften, schetsen en catalogi. Het glas is nog warm van de vriendschap. Een zelfgemaakte wenskaart voor een Gelukkig 1926, van Mondriaan. Plakwerkjes van Van Doesburg, geïllustreerde brieven van Schwitters. Kijk: hier houdt Domela zich nog aan De Stijl, daar beginnen zijn lijnen diagonaal te lopen en een paar jaar verderop worden het curves en doet hij even aan Kandinsky denken. Daarna is hij alleen zichzelf nog maar, bedachtzaam en een halve eeuw lang.

Mijn motoriek verandert in musea. Ik beweeg heel anders dan bij het bekijken van etalages, bij voorbeeld. Het is zo'n beetje de eerbiedig inbuigende beweging die je maakt boven wiegen met nieuwe baby's. Sierlijk zet ik mijn bril op en af. En ik maak minuscule notities, kunstcriticus spelend. 'Twee timmermanshanden op zoek naar het leven van de vormen.' Nota bene; niet naar de vormen van het leven. Dat leven heeft zijn ideale gedaante al gevonden. Hier in Parijs. Vijftig jaar lang in zelfde woonhuis annex atelier, met vrouw en kinderen. Weerklank van innerlijke harmonie. Geen emoties toelaten. Wellicht daarom Domela's werk wel eens bestempeld als veredelde kunstnijverheid? Onzin! Paste vaak als eerste de nieuwste materialen toe! Is toch niet zijn schuld dat palettafeltjes van Industriële Vormgeving hem hebben ingehaald?

Naarmate ons afgesproken bezoekuur nadert, word ik nerveuzer. Straks sta ik oog in oog met de Kunstgeschiedenis van deze eeuw: minder kan ik daar onmogelijk over denken, na het zien van deze overdonderende expositie. De enige die dat niet zo voelt is Domela zelf natuurlijk; je wordt niet ouder met je tijd, maar met je generatie.

– Mijn vrouw en ik voelen ons dinosaurussen, bekende hij vorig jaar een nederlandse journalist.

Gelukkig rook ik niet meer; anders zouden de vijf sigaretten die ik wegpaf op een bankje tegenover het gietijzeren Déco-toegangshek van de Cité Fleurie er tien zijn geweest. Onze struik paarse tulpen ligt uitgeblust in mijn schoot.

Klokslag half vijf controleer ik de zolen van mijn schoenen op onverhoopte poep en dan betreden wij met eerbied het idyllische hofje, slaan na dertig meter rechtsaf en bestappen de drie licht bemoste treden van studio 22. Zo kort en zacht mogelijk bel ik aan. Paarse clematis pavoiseert de voordeur.

Mevrouw Domela doet open. Haar sterke gezicht is onnederlands elegant gemaquilleerd. Ik stamel iets over tulpen naar de zee dragen en overhandig onze hollandse bloemenhulde. Als onhandige kinderen staan wij in de kleine keuken. Daarachter, in het woonatelier, zie ik de kunstenaar zitten; in een lage, houten fauteuil. Hij komt glimlachend en stijvig overeind en wij schudden handen. Gaat u zitten. Een kathedraals gevoel bevangt mij. Voorzichtig schuifelend en zonder te durven kijken wat erop staat, passeren wij een grote ezel en nemen plaats; in een ander jaartal. Welk?

Ik barst los en vertel hem hoe schitterend wij zijn tentoonstelling vonden. Vanaf een overtreffende trap valt mijn vrouw mij bij. Hij lijkt oprecht blij met onze loftuitingen. Het spijt hem alleen dat er straks in het Stedelijk in Amsterdam maar zo'n klein gedeelte van te zien zal zijn. Twee zaaltjes slechts, dacht hij.

En wat woont u hier sprookjesachtig mooi en mijn opa was een groot bewonderaar van uw vader, ratel ik, of bewonderaar is eigenlijk niet het goede woord en in Holland is het momenteel ontzettend slecht weer, wist u dat?

Ach, het is toch niet waar? Het doet hun verdriet dit te moeten horen. Maar willen wij wellicht iets drinken?

Een glaasje wijn, heel graag, had ik natuurlijk moeten zeggen.

– Whiskey! flappen wij er uit, in koor.

Domela's vrouw schenkt zich een glaasje port in en zelf neemt hij gelukkig ook whiskey, met veel water.

– Dan doe ik er lekker lang mee, twinkelt hij van-achter zijn brilleglazen; want ik moet voorzichtig zijn. Bij het inrichten van die tentoonstelling ben ik moet u weten van een trap gevallen en heb mijn heup gekneusd.

Hij vertelt het in accentloos nederlands en om te demonstreren dat het alweer wat beter gaat, komt hij opnieuw even overeind; een elegante, grijze reus. Wit overhemd met openstaande kraag, bruine corduroy broek. Afgaande op zijn sculpturen had ik hier een werkplaats verwacht; vol vonken van het lassen, galmend gehamer, gierende slijpmachines en minstens drie krullenjongens. Niets van dit alles: tegen de achterwand van zijn atelier staat een hoge werktafel van twee meter in het vierkant.

Geen stoel of kruk ervoor. Vier figuurzagen hangen erboven. Een paar hamers, stelletje klemmen, bankschroef, lijmtangen, twee metalen linialen. Links, schuin tegen de wand, zijn materialen. Dat is het.

– Ja, zegt Domela lachend, nadat wij met keurig haakse armen op zijn gezondheid hebben getoast; dat vind ik wel jammer, dat er in Amsterdam maar zo weinig plaats is, voor mijn werk.

– Mijn man weet weinig meer van Nederland, vergoelijkt zijn vrouw met een schattend lachje.

– Gelijk heeft u! roept de mijne, attent. Dan vraagt zij mevrouw Domela of het derde deel van Canetti's autobiografie al uit is, in Frankrijk. Op de lage tafel zien wij, opengeslagen en met de band naar boven, een verzamelbundel van Tucholsky liggen en zo kom je van het een op het ander en vinden wij, wie weet, ondanks ons niet te bevatten leeftijdsverschil, iets gezamenlijk bepraatbaars om ons uit de brand te helpen.

– Canetti? Nee, die naam kent zij niet. Kan mijn vrouw de titel soms even opschrijven?

– En wat heeft u alles ongelofelijk goed bewaard al die jaren! roep ik. Al die honderden unieke documenten die er lagen! Ik ben mijn normale stem kwijt en spreek op het toontje waarmee je een kind met een mooie tekening complimenteert.

– Ja, glimlacht Domela met niet te achterhalen droefenis; alleen de boeken van mijn vrienden ben ik kwijtgeraakt. Die hebben wij moeten verbranden, in Berlijn, in negentiendrieëndertig. Dat was zoiets verschrikkelijks! Maar ja: er stonden allemaal persoonlijke opdrachten in, van Brecht, van Mühsam, van Tucholsky! En wij hadden net een dochtertje, dus we konden niks riskeren, dat snapt u wel.

Ik kuch dat ik het begrijp, trek een klein blauw boekje uit de jaszak van mijn netste pak en reik het hem aan, met geforceerde nonchalance.

– Dit zou ik u graag willen geven, zeg ik; het is een bundeltje met Haiku-versjes, door mijn moeder. Dat is de dochter van de man die zoveel aan uw vader heeft te danken. Dat heb ik uitgegeven in eigen beheer. Als dank dus dat u ons heeft willen ontvangen en ook voor de prachtige tentoonstelling en de gouache die wij thuis van u hebben mogen hangen en ook omdat ik dacht van met het Oosten en zo, kalligrafie, waar u ook door bent geïnspireerd, dat daarom dit Haiku-boekje, dat dit dus daarom, dit. Laat ik maar stoppen, bloos ik, want er komt nu geen zinnig woord meer uit.

Mijn vrouw, zie ik uit mijn ooghoeken, heeft intussen de drie titels van Canetti opgeschreven.

– Daar zult u vast heel veel in herkennen, glimlacht zij geruststellend. En zij geeft het papiertje, als was het een recept, aan mevrouw Domela. Domela bladert voorzichtig in *Waarlangs streek de wind?*, het bundeltje van mijn moeder.

– Gut wat aardig! zegt hij; en hoe oud is uw moeder?

– Vierenzeventig nog maar, schamper ik onachtzaam en ik vang de vallende stilte nog bijtijds op door te vragen of Domela het affiche van zijn tentoonstelling voor ons wil signeren.

Dat doet hij; met bedachtzame, beminnelijke gebaren. Hij heeft exact het timmermanshandschrift van mijn opa.

Dan klokken wij eendrachtig onze whiskeys leeg en zeggen dat wij helaas moeten vertrekken.

– Déjà? vraagt Ruth Domela, maar wij volharden hardnekkig in onze goede manieren en nemen beleefd maar teder afscheid.

– Ik hoop u te zien in Amsterdam, zegt Domela; alleen jammer dat ik maar twee zaaltjes schijn te hebben.

Wij zwijgen, op de verlaten Boulevard Arago. Het lijkt hier op Montpellier of Avignon, met al die eiken en platanen. Pas na zevenhonderd meter komen wij het eerste terrasje tegen, waar wij, nog in het zitten gaan, twee dubbele whiskeys bestellen. Dan slaan wij tegelijk onze rechterhanden tegen ons voorhoofd en roepen dat wij het gesigneerde affiche hebben vergeten!

Mijn vrouw zal het ophalen, omdat zij van ons tweeën de makkelijkste schoenen draagt. In haar afwezigheid bestel ik snel nog een zelfde consumptie. Wanneer zij met de kartonnen koker is teruggekeerd vraag ik of zij soms nog heeft kunnen zien wat Domela aan het doen was. Stond hij alweer achter zijn werktafel? Hadden wij hem opgehouden?

– Nee hoor, zegt mijn vrouw; hij zat nog in dezelfde stoel. Hij was in het boekje van je moeder aan het lezen. Dat had je opa moeten weten!

– Ach jezus, zeg ik. Maar het is wat, anders: zo samen oud worden!

– Bij voorbeeld, zegt mijn vrouw.

Bij Mahieu, de grote kunstboekhandel op de Boulevard Saint Michel, zoeken wij die zelfde avond nog naar iets over Domela en vinden *Domela, Gouaches période parisienne*, van Christian Derouet. Een hoop gezwets en vaag gesnork, maar voorzien van zesenvijftig afbeeldingen.

Groot en eroties zijn onze trots en opwinding wanneer wij, behaaglijk samen bladerend in ons hotelbed, onze eigen gouache/collage tegenkomen! Helaas zijn de kleuren niet helemaal kloppend gereproduceerd.

En, wat nog onthutsender is: in het boek hangt onze Domela ondersteboven.

UNDER MY SKIN

Gisteren schoot Barbara plotseling te binnen
– en er feestte een glimlach rond haar mond –
hoe ik, nog bezig haar te winnen,
wel eens telegrammen zond.
Daar zette ik dan in:
'I've got you under my skin'
of andere tederheden.
Den Haag, zeventwintig jaar geleden.

Vanavond moet ik lezen,
ergens in het zuiden en
vanmiddag struin ik wat
door de Bredase binnenstad,
waar ik een winkeltje passeer
van een zekere Bob Tattoo.
Ik huiver.
Zal ik tot iets groots
en Herman Broods besluiten
en de naam van mijn vrouw
onder mijn huid laten spuiten?
Haar wakker schudden als ik vannacht thuiskom,
mijn getatoeëerde arm of borst ontbloten
en apetrots tonen hoe ik voor de rest van mijn leven
onuitwisbaar aan haar zit vastgeschreven?

Ik schuifel zeven keer
voor de winkel heen en weer.
Binnen zit een potige meneer,
met de muts van Thelonious Monk op;
Bob Tattoo himself, vermoed ik rillend.
Ik aarzel en denk:
misschien dan niet
haar hele naam,
alleen de eerste letter,
alleen een mooie B.
Maar ik durf niet naar binnen,
drentel door en koop,
wat winkels verderop,
een laffe doos bonbons voor haar.

Waarom deed ik het nou toch niet?
Ik ben bang dat ik bang was
en dat ik best voor haar wil sterven,
als het maar geen pijn doet.
Maar ik zal het haar wel zeggen straks,
wat ik daar van plan was.
En dat ik het niet gedaan heb
omdat ik bang voor Aids was.

– Wat ben je toch onrustig, zei mijn vrouw. Zij klonk gevaarlijk geprikkeld. Wij leven dan wel niet als kat en hond, maar toch ook niet permanent als koek en ei.

   – Ik? vroeg ik.

   – Er is wat, stelde zij vast.

   – Wat zou er moeten zijn? vroeg ik.

   – Je zit zo te wippen met je been.

   – Ik te wippen?

   – En te kuchen. Je zit alweer een uur lang van gruggrum, gruggrum.

   – Gruggrum? Ik gruggrum?

   – Hoor je dat dan zelf niet?

   – Ik hoor niks.

   – Kijk maar naar je been: daar ga je weer!

   – Ik zie niks bijzonders aan mijn been.

   – Ja: nu hou je hem gauw stil!

   – Ik weet niet waar je het over hebt hoor. En er is helemaal niks, loog ik; want ik wist donders goed wat er was, er was Lente! Het voorjaar raasde weer eens door mijn donder en heel Nederland zinderde van de ontbottende lustgevoelens. Het leek wel of de mensen elke lente mooier werden. Ik groette ze allemaal, op straat. Vooral de jonge moeders, die een concours d'éclatance reden met hun elegante wandelwagentjes waarin wolken van baby's hemels lagen te stralen.

– Wat een heerlijke kleine meid heeft u daar, mevrouw!

– Het is anders een jongen hoor.

– O. Nou: dan ziet ie er helemáál fantasties uit! Kan ik u iets helpen dragen?

– Nee, dank u vriendelijk.

– Mag ik u dan verder een zalige dag wensen?

Maar ook lieve oude dames, hun boodschappenwagentjes als hondjes met zich meetrekkend, bedacht ik met een hartgrondige glimlach en ik riep Doei naar prachtige topless straatmakers en thuis trok ik een sinds het vorig voorjaar vergeten hemd met korte mouwtjes aan en begon ik alle stapels achterstallige leeslast op te ruimen.

Ik knipte een foto van Yvonne van Gennip uit een verlopen *Tijd* en plakte haar in mijn agenda, om mij over tien jaar te herinneren hoe haar vlag frank en fris de andere kant op had gewapperd, dwars tegen de 06-sexlijnen in en hoe, in 1988, een aanzienlijk deel van het Sportpubliek Poppubliek was geworden: 'Hein rij nog eens een rondje want je hebt zo'n lekker kontje', smeekten zestienjarige meisjes op hun spandoek, bij het afscheids-schaatsgala van Hein Vergeer. En hoe doorluchtig Willem-Alexander Yvonne van Gennip het hof had gemaakt; wulpse prinsen had Nederland! En hoeveel wel niet? En de Pornoster La Cicciolina zat in het Italiaanse Parlement, madame Pierrette Le Pen poseerde naakt in de Lui, amerikaanse televisiedominees liepen de bordelen plat, Donna Rice en Gary Hart, Fawn Hall en Oliver North – het was een grote amoureuze koorddanspartij, tot in de hoogste kringen!

Boven het hoofd van Jan met de Pet woedde het bombardement van anabole borsten en billen heviger dan ooit: in de bladen, de ster-spots, de videoclips; in Veronica's Pin Up Club en Vara's Nachtshow. En de serieuze weekbladpers adverteerde met Kleurenfoto's van heroïnehoertjes in de Bijlage.

Toen verscheen, bij Adriaan van Dis, de Erotiek in haar vrijwel vergeten, gesublimeerde gedaante: Annie Cohen-Solal; une vraie Parisienne. Geen mooier bloot, dan geestelijk bloot, gaf Sartre's biografe ons te verstaan.

– O mocht ik zo'n ultrapikante en onweerstaanbaar charmante tante toch kunnen strikken als franse gouvernante voor de kinderen uit mijn tweede huwelijk! kreunden honderden intellectuele vijftigers tegen hun beeldscherm. Beneden op straat intussen, trokken tachtigjarige mannen, door de media vergiftigd met het idee dat anno heden alle vrouwen zu haben zijn, dertienjarige meisjes van hun fietsjes, sleurden ze mee naar de bejaardenflat en probeerden aldaar hun sidderende wil aan hen op te dringen, geholpen door hun zesenzeventigjarige vrienden. Hadden de ouders hun dochtertje maar niet, verkleed en wel, naar de Madonna Play-back-show moeten laten gaan. En therapeuten in de Zwakzinnigenzorg maakten pornografiese foto's van hun pupillen en gynaecologen deden zich te goed aan hun tevoren verdoofde patiëntes.

Hier en daar werd het vlees wat preutser, maar de geest werd geiler en onder een door Aids bewolkte Lentehemel vond ik op een ochtend deze brief van een reclamebureau in mijn bus:

PMSvWY&R

Geachte heer en mevrouw van Kooten,

Zoals heden telefonisch besproken met Maud Keus, gaat in september de vervolgcampagne Aids van start, opnieuw een voorlichtingscampagne in opdracht van het Ministerie voor Welzijn, Volksgezondheid en Cultuur.

Uit onderzoek weten we intussen dat het belang van veilig sex in het algemeen door de meeste Nederlanders wordt onderschreven, maar dat veel mensen daaruit nog te weinig persoonlijke consequenties trekken.

Uit ervaring weten wij dat het gebruik van Bekende Namen juist bij deze problematiek drempelverlagend kan werken. Daarom werken wij op dit ogenblik aan een vervolgcampagne waarin wij gebruik maken van de voornamen van bekende karakters die ze uitbeelden. Ook uw namen (Cor & Cock) zouden we in deze voorlichtingscampagne een rol willen laten spelen, maar vanzelfsprekend niet zonder uw toe-stemming.

Wij hopen dat u deze toestemming op korte termijn wilt geven. Waarbij wij u nogmaals willen wijzen op het grote belang van een effectieve voorlichting rond misschien wel de ernstigste epidemie die ons ooit heeft bedreigd.

Wij zeggen u bij voorbaat hartelijk dank voor uw mede-werking.

Met vriendelijke groet,

113

Als ik hier Ja op zei, zouden onze namen verschijnen in van die advertenties en op posters die riepen dat ik verstandig was en Het daarom Met deed!

Ik zat er eventjes raar en bejaard van te kijken, want ik ben nog van de generatie die er met gloeiende, kortgeknipte koppen wel eens eentje huiverend doorgaf onder de bank en giechelend opblies in de fietsenstalling. Of we maakten er een geheime waterbom van, in het scheikundelokaal. Als er al iemand in was geslaagd de hand te leggen op een kapotje, wat zo goed als uitgesloten was. Alleen de drie grootste steden kenden een winkel waarboven 'Gummiwaren' op de pui stond geschilderd en dit was het enige adres waar je ze, onder de toonbank, kon krijgen; wanneer het je tenminste lukte om door te gaan voor 21 jaar oud en goed gezond zijnde.

Bovendien moest je een goedkeuringsbriefje van je beide ouders of voogden kunnen overleggen, minstens 1 meter 80 lang zijn en geen bril dragen, als ik het mij goed herinner. Verloren in een woud van houten benen, stalen beddepannen en rubberen rompen kreeg je dan, bevend als een riet, voor f 3,50 één condoom overhandigd, als je geluk had.

Maar wat moesten wij daarmee? De partner die de aanschaf zin had kunnen geven ontbrak nog, zodat wij niks opwindenders wisten te bedenken dan hem, bij toerbeurt, een dag op zak te dragen; waarbij de tijdelijke eigenaar naar hartelust mocht fantaseren hoe hij, veilig berubberd, achtereenvolgens Anita Ekberg en Marina Vlady zou bezitten. Met een tussenruimte van 12 uur, zodat hij het condoom uit kon wassen en het 's nachts, als zijn ouders nietsvermoedend sliepen, onder de klok op de schoorsteenmantel te drogen kon hangen.

Om te voelen hoe dat nou voelde, heb ik het preservatief dat wij met acht jongens gekocht hadden eens op een woensdagochtend omgesjord, wat een heidens karwei was. Teneinde afglijden te voorkomen, moest ik met rare, dwarse benen naar school fietsen, waar ik mijn zeven ongelovige medebezitters met schorre stem onthulde wat een apelekker gevoel dat wel niet was, een kapotje om! Hun bewondering was mateloos.

Wij hadden het eerste uur Frans en daar was het mij om begonnen; ik wist dat ik een beurt zou krijgen en voor het bord moest komen en het duizelig makende besef dat de aantrekkelijkste lerares van de school niks van mijn onderbroekse toestand wist, bezorgde mij een rits erotiese gevoelens van een hevigheid die ik pas opnieuw ervoer toen ik mijn vrouw voor het eerst zag dansen.

Toen in de daaropvolgende jaren enkele natte jongensdromen vleselijke werkelijkheid werden, heb ik het eigenlijk evenmin ooit Met gedaan. Want A. kwamen er rond 1960 in onze haagse kringen nog geen geslachtsziekten voor en B. was het je eer te na om een C. rond je L. te gorden, alvorens te penetreren in een bereidwillige K.: oneindig lief, beleefd en voorzichtig vroegen wij 's zaterdagsnachts aan het meisje in kwestie 'of wij het mochten laten lopen' en wanneer zij dan, haar hoofdje opzij, bangelijk 'nee-neenee' fluisterde, hielden wij ons hieraan en verlieten wij als heren, in ijzeren zelfbeheersing, haar honingkerkje voor het zingen, om het keurig netjes 'op haar buikje te spuiten'. Punt uit. Kom daar nog eens om, tegenwoordig. Nee, ik kon mij uit mijn hele leven eigenlijk geen enkele keer herinneren dat ik Het daadwerkelijk Met had gedaan! Ik deed Het wel met mijn vrouw, vijfentwintig jaar nu alweer bijna, maar wij deden Het nooit Met. Wij gaven ruiterlijk toe dat wij Het allebei wel eens met anderen hadden gedaan, en Zonder, maar dat was inmiddels langer geleden dan de geldende incubatietijd zodat wij, als twee zondagskinderen door het oog van Joost mag weten welke naalden gekropen, thans de beloning voor ons nog juist op tijd monogaam geworden gedrag mochten toucheren: wij waren zo'n heerlijk ouderwets echtpaar dat het nog lekker Zonder Met kon doen! Doch de gedachte dat onze kinderen, naar de toekomst zich liet aanzien, nooit zouden weten hoe dat voelde, vervulde mij met verwarrende gevoelens van schuld en medelijden.

– Nee, zei ik dus; daar doe ik niet aan mee.

– Waar doe je niet aan mee? vroeg mijn vrouw.

– Een braderie, zei ik; of ik een braderie wil openen.

– Ach waarom niet? zei ze; dan maak je misschien nog eens wat mee. Je moet er eens uit! En zit nou toch eens stil met dat been!

– Waar moet ik dan heen? pruilde ik.

– Geeft niet waarheen! riep ze; neem voor mijn part een minnares! Maar doe iets!

Ik weet dat het onwaarschijnlijk klinkt, maar zulke dingen roept zij, soms. En zij meent ze nog ook. Zij heeft een systeem, maar dat heb ik nog steeds niet helemaal door.

– Wie dan? vroeg ik gretig.

– Ja hoor eens: ik hoef haar toch niet voor je uit te zoeken hè?

– Hoe kom ik daar dan aan, aan een beetje betrouwbare minnares? bleef ik mokken.

– Godallemachtig! Gebruik je fantasie dan eens een keertje!

– Ik heb geen fantasie.

– Dan ga je met je toneelkijkertje op een terras zitten, of plaats voor mijn part een advertentie!

– Ik verzin wel wat, stelde ik haar gerust. Maar vanavond kan ik er niet uit, want ik moet nog een stukje voor Humo schrijven.

Een advertentie? Ik ging naar mijn kamer. Vlooide de weekbladen na. Oude Pekela. Een interview met Victorine Hefting over haar literaire verhoudingen. De kwaliteit van hun neuken bepolemiserende columnisten. Ik kon niet achterblijven!

Welke aantrekkelijke vrouwen willen, tegen vergoeding, onsterfelijk worden?

Onsterfelijk worden, denkt u zich dat eens in mevrouw, mejuffrouw! Onbeperkt voortleven nadat u dit ondermaanse heeft verruild voor het eeuwige!

Straks, in het jaar 2010, wanneer ook al uw vriendinnen troosteloos anoniem zullen zijn overleden, leeft ú nog voort in de harten en hoofden van tientallen, ja wellicht honderden intellectuelen **in de gehele Benelux!** Uw naam zal nog dagelijks trillen op duizenden lippen, uw foto wordt gekoesterd, uw jurken poogt men na te naaien, uw kapsel wordt alom geïmiteerd! Onmogelijk? Niet voor u weggelegd? Is het slechts aan filmsterren en prinsessen voorbehouden om tot over het graf te blijven voortleven? Tot voor kort was dat inderdaad zo, maar nu bestaat ook voor ú de kans om die dagelijkse grauwsluier af te werpen en uw leven een geheime extra dimensie te geven. Want nu is er **DE STICHTING LITERAIRE MINNARESSEN!**

Wij leven in de tijd van de Grote Onthullingen. De Epoque van het Demasqué. Alles willen wij weten! En vooral alles van onze favoriete kunstenaars...

Het zal u ongetwijfeld zijn opgevallen: over geen kunstenaarsgroep wordt zoveel onthullends gepubliceerd als over **DE GROTE DODE SCHRIJVERS.** Deze maand verschenen er dikke boeken vol nieuwe informatie over *Oscar Wilde, James Joyce, Evelyn Waugh, S.J. Perelman, Lord Byron en Jean-Paul Sartre.* Tot nu toe onbekende feiten en feitjes, bijeengesprokkeld uit kattebelletjes, boodschappenlijstjes en brieven. Brieven die meer dan eens werden aangetroffen in... **de nachtkastjes van hun Minnaressen!** Want wanneer er uit al dat spit- en graafwerk iets duidelijk wordt dan is het wel dit: in het leven van de Grote Heteroseksuele Schrijvers heeft het deze eeuw **gewemeld van de Minnaressen!** En al die minnaressen hebben daar uiteindelijk garen bij gesponnen; was het niet tijdens het leven van "hun" schrijver, dan toch zeker na zijn dood! De minnares als Klaagmuur, Biechtstoel en Wipplank, jazeker, maar ook: de minnares als haar eigen, geheime **Goudmijn!** (buiten de belasting blijvende, geheime nalatenschappen, zeldzame eerste drukken, rijkelijk verhandelbare handschriften en vaak een aanzienlijk royalty-percentage van de nieuwe biografieën die, dank zij haar unieke informatie, konden verschijnen!)

De goede Literaire Minnares zwijgt, luistert, bedrijft de liefde met haar schrijver, bewaakt hun gezamenlijk geheim en bewaart iedere snipper.

Herkent u uzelf in dit beknopte signalement? En lijkt het u ook niet oneindig veel boeiender om een verhouding te hebben met **een geestrijke schrijver** dan met **een duffe kantoorman** of een **overhaaste fabrieksdirecteur?** Dan ziet de rest van deze eeuw er **zonnig** voor u uit!

Natuurlijk kunt u er als **Literaire Minnares** niet van-uit gaan dat uw schrijver zo "interessant" zal zijn als **Jean-Paul Sartre,** maar zoals in zo vele levenszaken geldt ook hier: **je weet nooit!** Ook al mag uw schrijver **bij leven** weinig ontbreken aan erkenning en imposante verkoopcijfers, het is allerminst ondermaats dat de kritiek hem na zijn **overlijden** zal uitroepen tot De Stem of Het Gezicht van een Generatie; zodat ook zijn minnares, zo niet in **lange minkjas,** dan toch zeker een **grappig kort jackje** aan zult overhebben. Of een echte **cappuccinomachine!**

En denk eens aan culturele **Bijdrage** die de **Literaire Minnares,** aan de samenleving levert! U hielp uw schrijver over al zijn dode punten heen!

Want hij wist niet meer waarover hij moest schrijven, maar plotseling heeft hij iets om het over te hebben: **U!** En is het niet veel stijlvoller en spannend om **uw naam** verwerkt te zien in een roman of kort verhaal dan slechts bungelend aan een veertienkaraats gouden armbandje of, geborduurd op het **triootje** tuttige zakdoekjes waarmee uw latere relatie het feit dacht te kunnen wegwuiven dat hij de Kerstdagen toch maar weer doorbracht in de schoot van zijn gezinnetje?

Vul daarom de bon vandaag nog in! Dan gaat de **Stichting Literaire Minnaressen** morgen aan de slag en zal uw komende Lente vol zijn van tot nu toe ongehoorde geluiden!

·BON·

Ja! Ik wil, met een proeftijd van 1 jaar, LITERAIRE MINNARES worden!
Mijn naam is:
Mijn geheime adres luidt:
Mijn leeftijd en maten zijn:
Mijn makkelijkste tijd van de dag is:
Mijn schrijver mag niet ouder zijn dan:
Mijn laatst gelezen boek is:

Invullen, uitknippen en met lachende foto opzenden aan:
Kees van Kooten
Voorzitter Stichting Literaire Minnaressen
HUMO
De Jonckerstraat 46
1060
Brussel

53

Een week na het verschijnen van het *Humo*-nummer met mijn licht-satiriese pagina, belde Guy Mortier op, de hoofdredacteur. Het was half acht 's ochtends en hij vroeg wat hij er mee moest.

– Waarmee? vroeg ik slaperig.

– Met de aanmeldingen, zei Guy; ik stuur je ze nu op en laat het me weten hè? Mijn vingers jeukten, maar ik heb alle brieven dichtgelaten. En denk eraan: eerlijk delen!

Dat betekende weer eens een keer vroeg opstaan, de volgende morgen, om de post op te vangen. Wat giro-afschriften, twee gewichtige brieven van de met WVC samenwerkende Financieringsmaatschappij De Lage Landen, een tweede mailing van de firma Inforama, een briefje van de NCRV en een wellustig bollende enveloppe uit Brussel, die ik zolang onder mijn trui stopte.

– Nog wat gezelligs bij de post? vroeg mijn vrouw.

– Alleen maar zakelijk, zei ik, ging naar mijn kamer en zette een stoel schrap onder de deurknop.

De inhoud van de Humo-enveloppe was verbijsterend! Ik schoof de foto's van mijn vrouw en kinderen opzij en bedolf mijn bureau onder ten minste vijftig schrijvens, in alle maten, geuren en kleuren. Ze waren allemaal geadresseerd aan De Stichting Literaire Minnaressen. Grote genade en geen paniek en hemelse goedheid! Zou ik een paar vrienden bellen, of ze kwamen meegenieten? Nee, dat kon later nog wel. Eerst lekker alles zelf besnuffelen. Rustig, een voor een, alle brieven openmaken. Wat een geest hadden ze toch, de Belgische vrouwen! Hoeveel er meegingen, in zo'n grap! Dat zou je in Nederland niet hoeven proberen.

De allereerste brief die ik openmaakte, was afkomstig van Veerle Wauters, uit Tollembeek. Zij had de bon ingevuld en niet uitgeknipt, maar de pagina in vieren gevouwen. Ja! Zij wilde, met een proeftijd van 1 jaar, Literaire Minnares worden! Haar adres stond erbij en haar leeftijd en haar maten. En haar makkelijkste tijd van de dag was 's avonds na tienen. *Het verdriet van België* van H. Claus was haar laatstgelezen boek en haar schrijver mocht niet ouder zijn dan veertig jaar. Er zat een foto bij van een fleurig meisje met kort en krullend bruin haar, dat in een tuin stond, naast een droogmolen met zwierende lingerie. Ze droeg een spijkerbroek en een mouwloos lila hempje, dat twee onschuldige toefjes okselhaar vrijliet. Veerle Wauters had mijn advertentie serieus genomen! En zij was niet de enige, zag ik, kwijlend van de zenuwen verder scheurend, tot mijn – ja tot mijn wat precies? Eerst tot mijn schrik, daarna tot mijn schaamte, toen tot mijn ijdele geilheid. De Wilde, Claudine; poserend met haar pluche beren, voor een uite open haard, in Antwerpen. O zij kon wel van elf uur 's ochtends tot vier uur 's middags en had alles van Robert Ludlum gelezen. De achtentwintigjarige

Goedele Dhaenens uit Gent! Mijn makkelijkste tijd van de dag is de Nacht, schreef ze. Vivian Illegems, wankel en sexy op de schoorsteenmantel zittend, thuis in Brugge. Jose Mees uit Werchter, guitig in een kruiwagen; Ghislaine Jussen uit Ruislede, haar lange blonde haren uitwaaierend op een Snoopy-kussen!

Ik zat onafgebroken met mijn been te wippen, zag ik nu duidelijk zelf. Zwetend en grommend begon ik te tellen, vier keer opnieuw. De totale vangst omvatte drieënvijftig literaire minnaressen, van wie er tweeëndertig een lachende foto hadden bijgesloten. Drie meisjes hadden de grap begrepen en een potje gemaakt van hun bonnen. Mijn geheime adres luidt: dat zou je wel willen weten hè, viespeuk! en: mijn leeftijd en maten hang ik u niet aan uw neus en: mijn laatstgelezen boek is het telefoonboek van Aalst. En dan verkeerde ik nog in onzekerheid aangaande Nadine Museeuw uit Waregem, die geen foto had bijgesloten ('lachende foto zend ik u na'), vierentwintig jaar oud was, als haar maten 92-62-90 opgaf en meldde dat zij zojuist *Madame Bovary* had gelezen, maar die 100 jaar als de maximale leeftijd van haar schrijver had ingevuld, wat de geloofwaardigheid van haar kandidatuur enigszins aantastte. Maar alla: dan had ik nog altijd negenveertig serieuze potentiële minnaressen gescoord!

Ik pakte een knipselmap, donderde de oude inhoud in een vuilniszak, schrapte op het omslag 'Milieu' door en schreef er Doc. Lit.Min. voor in de plaats. 'Harem', had ik eigenlijk willen kalken. In deze map bracht ik de bonnen onder. Voor de foto's nam ik de grote enveloppe van Inforama, maar in mijn opwinding had ik zo zitten snuiven en schuiven dat ik niet meer precies wist bij welke Bon een foto hoorde, tenzij mijn meisjes hun adres er achterop hadden geschreven, wat Patrice Grootaers gedaan had, gelukkig gelukkig, omdat zij veruit de aanminnigste van het hele regiment was.

'Almost Nude climbing a staircase', had zij onder haar foto gekalligrafeerd. Zij droeg alleen een babydoll en liet mij, met recht, haar billen zien. Inviterend maar niet ordinair en zeker niet met die gespeeld hete, afgekeken sexblik waarvan mijn dochter, toen zij mij boven een Penthouse betrapte, ooit eens had gevraagd 'of die mevrouw misschien moest niezen', maar nee, eerder ironisch en lief en zoet en zacht keek Patrice Grootaers achterom, of ik haar maar wilde volgen, naar boven, tot onder een schuin dak, ergens in Antwerpen. Haar schrijver mocht niet ouder zijn dan 47 jaar, had zij ingevuld. Dat kon ik nog net halen, als ik een beetje voortmaakte! En haar laatstgelezen boek: ik kon mijn ogen niet geloven!

Toen bladerde ik de bonnen nog eens door en gaf mij er nu pas rekenschap van dat driekwart van de reflectantes zich wenste te vermaken aan een schrijver die niet ouder mocht zijn dan veertig jaar. Zo had ik de zaak nog niet bekeken.

Die hebben er dus op twee manieren niks van begrepen, dacht ik grimmig; reflecteren op een Geest maar wel bepaalde lichamelijke eisen stellen!

Toegegeven: ze zagen er dan wellicht wat beter uit, maar Geest? Wat wist zo'n schrijvertje van onder de veertig nou helemaal? Nee, die pedante trutjes verdwenen zonder omwegen in een derde mapje. Een aflegdossier – daar was de Voorzitter streng in. Hoeveel hield de Stichting er dan nog over? Elf. Daar konden wij voorlopig mee uit de voeten.

Trouwens wie weet wat er intussen nog voor heerlijks binnendruppelde op de redactie van *Humo*. Allerhande lekkere meiden waren nu waarschijnlijk nog als gekken bezig met het lezen van hun laatstgelezen boek.

Op dinsdagavond 29 maart moest ik in Antwerpen zijn. Ik knakte de kaart van België open en bepasserde hoeveel Literaire Minnaressen ik in een middag zou kunnen screenen, rekening houdende met hun makkelijkste tijd van de dag en mijn dwangmatige hang tot verdwalen.

Een tijdje geleden las ik daar een troostende theorie over: ik heb als baby te weinig gekropen. Ik ben te snel rechtop gaan lopen, waardoor mijn oriëntatiegevoel onderontwikkeld is gebleven. Als ik vroeger niet zo bijdehand was geweest, zou ik nu niet zo dom zijn – daar kwam het in feite op neer. Zo weet ik pas sinds kort dat ik het beste over Breda naar Antwerpen kan rijden. Jarenlang heb ik 's-Hertogenbosch aangehouden, na Utrecht; waarbij ik mijzelf en eventuele meerijders wijsmaakte dat dit weliswaar een omweg leek in kilometers, maar stukken korter was qua tijd.

Ik was daar ooit Dienstplichtig Sergeant der Infanterie, in Den Bosch. Tot de vaardigheden die ik de aan mijn gezag toevertrouwde rekruten moest bijbrengen, behoorde het onderdeel Kaartlezen.

Niets had ik daarvan begrepen tijdens mijn eigen opleiding, zomin als van het Kompasgebruik. Nog altijd koester ik een enorme bewondering voor mannen die, wanneer wij in bos of open veld niet weten hoe het verder moet, kalm en wijdbeens stilstaan, hun hoofd in de nek leggen, half rond hun as draaien, je even hol aankijken, dan strak langs je heen wijzen en roepen dat daar Het Noorden is, of, nog knapper vind ik dat, Het Westen.

Elke maand moest ik dus met een vers peloton soldaten de helse Drunense Duinen in, voor de zogenoemde oriëntatie-oefening in open veld. Vrijwel onmiddellijk nadat wij de verharde weg hadden verlaten, was ik hem kwijt. U begrijpt dat ik dit niet liet merken. Integendeel: ik riep 'Volgen Mannen!' en bleef in speedmarstempo koppig vooroplopen, met de geroutineerde, lichtelijk verveelde tred van de instructeur die iedere nieuwe lichting langs dit zelfde dwaalspoor leidde. In het wilde weg marcheerde ik een half uur lang de bospaadjes in en uit en de duinen op en af, op mijn hielen gezeten door het gehijg van dertig strompelende oliebollen. Tot het mij begon te duizelen en ik absoluut niet meer wist in welk kwadrant van mijn stafkaart wij ons bevonden. Dit was het moment om mijn hand op te steken, Peloton Halt te roepen en Op De Plaats Rust en Zet Af Bepakking te commanderen. Daarna ging ik glimlachend zitten, gebaarde mijn mannen het zelfde te doen, stopte een pijp en keek leep de kring rond. In het volste vertrouwen zagen de jonge soldaten naar mij op. Vervolgens vroeg ik, op sluwe toon: 'En wie van jullie heeft er nu enig idee in welke richting wij moeten lopen om weer bij de Kazerne terug te komen mannen?'

Tot mijn verademing zat er altijd een zeeman, een mijnwerker of een boerenzoon tussen die het wist.

– Zo toch sergeant? wezen ze ergens, weifelend.

– Ik mag niks zeggen, zei ik dan, met toegeknepen ogen paffend aan mijn pijp; maar ga jij maar voorop, als je het zo goed weet.

Langs deze weg heb ik, aan de staart van mijn peloton, altijd nog ruim voor het avondappel weten terug te keren, maar in mijn eentje zou ik na iedere oriëntatie-oefening als Vermist zijn opgegeven.

Laat ik het daarom niet te gek maken: als ik voor elke literaire minnares een uurtje uittrek, moet drie adressen te doen zijn, in en rond Antwerpen. Wat zou ik ze zeggen? Dat zag ik nog wel.

Bij Hotel De Keyser, op de De Keyserlei, bestelde ik een tweepersoonskamer voor de nacht van dinsdag op woensdag. Onmiddellijk na aankomst in de Sinjorenstad zou ik Patrice Grootaers bellen, want zij had 'any time' opgegeven, als makkelijkste tijd. En ik zou haar vragen of zij 's avonds in de Hotelbar een glas kwam drinken, op kosten van De Stichting. Hoe vaker ik haar foto bekeek – voortdurend legde ik de mappen terzijde en steeds opnieuw sloeg ik ze open – des te verliefder ik werd. Ik pakte haar bon er nog eens bij en bedronk mij voor de zoveelste keer aan haar krullige handschrift. Het stond er toch heus: mijn laatstgelezen boek is *Hedonia* van Kees van Kooten!

Hoe plat deze tijd je toch maakte: hangt er een condoomautomaat in het tankstation bij Nieuwegein? vroeg ik mij zakelijk af.

Voor alle zekerheid wisselde ik drie tientjes tegen dertig losse guldens en ik trok er tien. Twintig kilometer verder begon ik te malen: wat zeg ik straks in hemelsnaam tegen Pascale van Holen? In Ekeren woonde zij en ze kon van twee tot vier. Als zij nu eens opendeed met een baby op haar arm? Moest ik plompweg zeggen dat die advertentie maar een grapje was geweest en dat ik even langskwam om het een en ander recht te zetten? Daarmee zou ik de meisjes onherstelbaar in verlegenheid brengen. Of moest ik de grap gewoon doortrekken en ijskoud volharden in mijn rol van Stichtingsvoorzitter? Maar kon ik die pose wel volhouden wanneer ik met De Wilde, Claudine, tussen haar teddyberen zou belanden? Moest ik dan niet eerlijk alles opbiechten en iets zeggen in de trant van: okee, het was een grap, maar nu even serieus Claudine – zou je er desondanks iets voor voelen om mijn Literaire Minnares te worden? Ik kwam er niet uit. Onder Utrecht had ik er nog lustig op los gefantaseerd, hoe een eer zij het stuk voor stuk zouden vinden, dat de Voorzitter persoonlijk langskwam voor de ballotage en hoe zij, op klaarlichte dag, bevallig en veelbelovend de gordijnen zouden toeschuiven, maar nog voor Breda had ik al besloten dat ik, althans vandaag, alleen Patrice Grootaers zou jureren. Ik verstopte negen condooms in mijn dashboardkastje en stak er eentje op zak.

In Hotel De Keyser draaide ik haar nummer.

– Met Patrice Grootaers.

– Ah! Mevrouw Grootaers! Prettig u aan de lijn te treffen!

– Met wie spreek ik?

– U spreekt met de Voorzitter van de Stichting Literaire Minnaressen.

– Mijnheer van Kooten?

– Inderdaad. En nu moest ik toch in Antwerpen zijn dus ik dacht misschien heeft u zin om met mij vanavond nog een glas te drinken, in Hotel De Keyser?

– Dat lijkt mij heel plezant.

– Prachtig! Zullen we zeggen zo om een uur of elf?

– Dat is goed. Ik zal er zijn.

– Tot vanavond, mevrouw Grootaers.

– Dank u wel mijnheer Van Kooten. Tot vanavond.

Het was een gesprekje van dertig seconden, maar toen ik trillend had opgehangen kon ik het al niet meer reconstrueren. Had ik gezegd: ik moest toch in Antwerpen zijn? Ja natuurlijk: weer die zelfde lompe fout gemaakt! Zeg toch nooit tegen een vrouw dat je even langskomt omdat je toevallig in de buurt was! Dat is zelden waar, wat zij ook wel weet en als zij denkt dat het wel waar is, bezorg je haar een fnuikend tweedeplansgevoel. Je moet dus altijd zeggen: Mevrouw! Ik moest heel ergens anders wezen, maar ik ben duizend kilometer omgereden, door een voorwerelds noodweer, want ik moest en zou u zien: uw foto brandt al dagen op mijn netvlies! En heeft u wellicht een emmer water voor mijn doodvermoeide paard?

Het is half elf als ik klaar ben in de BRT-studio. Vriendelijk doch beslist zeg ik Nee tegen de gezellige nazit en ik scheur naar mijn hotel.

Ik zie haar ogenblikkelijk: zij zit in de hal en bladert door een stapel velletjes. Daarbij likt zij twee keer aan een vinger. Ik blijf in de deuropening staan en maak mijn veter los, om haar beter te kunnen bekijken. Zij draagt een groen T-shirt en een korte witte rok. Blote bruine benen, over elkaar geslagen. Vindt u mijn benen echt niet te dik, mijnheer Van Kooten? Welnee mevrouw Grootaers, zij zijn juist prachtig! Zij zit te wippen met het bovenste zie ik, voordat ik mijn veter weer vaststrik. Dan loop ik op haar af, de laatste meters in een gelogen drafje.

– Hallo, hijg ik, sorry, beetje laat. U bent Patrice Grootaers?

Zij komt overeind en is iets kleiner dan ik haar had geschat, maar zo'n trap vertekent.

– Een goedenavond, zegt ze, met nieuwsgierige, blauwgrijze ogen. En ze biedt mij haar hand. Dan stopt ze snel haar shirt nog wat strakker in haar rokje. Ik probeer haar borsten niet te zien.

– Ik moet even deze bullen op mijn kamer zetten, zeg ik. Of weet u wat? Loopt u even mee, want u zit hier maar op de tocht.

– Dat is goed, zegt ze en ze graait een wit jekje van de belendende stoel en schikt haar papieren op een stapeltje dat zij zorgzaam in een enveloppe met luchtkussentjes laat glijden.

– Zo, zeg ik in de lift, hèhè: leuk dat ik u nu eens in levenden lijven mag zien.

– Ik heb u zojuist nog gehoord op de radio, zegt ze; ik woon hier vlakbij, terzijde van de Meir.

– O dat? vraag ik, alsof ik het al weer vergeten ben, terwijl het zweet van de directe uitzending nog op mijn rug staat; Literama, bedoelt u? Ja dat kan wel. Dat is een coproduktie van de NCRV en de BRT geloof ik. Ik weet niet precies hoe dat zit hoor. Dat is allemaal zo ingewikkeld hier, met al die verschillende stations en zo, in België.

– Vondel gaat Vreemd, zegt ze, met een vleug van misprijzen.

– Ja wat een titel hè? val ik haar bij. En dat voor scholieren!

– Het ging anderhalf uur alleen maar over u, protesteert ze.

– U heeft volkomen gelijk! roep ik, om haar verdere wegglijden te voorkomen, belachelijk! Maar laten we het daar niet over hebben, want ik vind het zelf ook verschrikkelijk gênant.

Dan stopt de lift en ik stap naar buiten. Stap dan weer terug en gebaar dat zij mag voorgaan. Nog even mijn goede manieren tonen om te rechtvaardigen dat ik ze straks mag vergeten.

– Hoeveel andere schrijvers zouden ze wel niet kunnen bespreken in anderhalf uur? vraagt Patrice Grootaers. Voordat zij de lift verlaat, kijkt ze nog even in de spiegel.

– Exact! roep ik. Maar dat is die verdomde populariteit hè?

– Er zijn zoveel goede schrijvers die nooit in de schijnwerpers komen, zegt ze. Een lekker korrelige stem heeft ze, maar hij klinkt verwijtend.

– Precies! roep ik. Deze kant op. Nee, dat ben ik volkomen met u eens!

– Waarom doet u zulke dingen dan? vraagt ze, als we geluidloos door de dik belegde gang lopen. Het blijft een raadsel dat hotelgangen altijd langer zijn dan de buitengevel breed is.

– Omdat ze me bellen, zucht ik gepijnigd. En dan roep ik eerst altijd nee, maar dan zeggen ze dat het anders niet door kan gaan, omdat er twee ploegen scholieren al drie maanden lang alles van mij aan het lezen zijn, voor de kwis. Dus ja, dan zeg je geen nee.

– Nee, zegt Patrice Grootaers. Ik doe de deur van kamer 449 open. Na u, zeg ik. Zij gehoorzaamt, loopt rechtdoor naar het raam, schuift de vitrage opzij en noteert de nog volop wriemelende Keyserlei.

In de spiegel naast de kledingkast aai ik snel een paar keer door mijn haar. De laatste veeg ziet zij: ze heeft zich omgedraaid. Het witte jekje hangt los over haar schouders en de enveloppe houdt zij als een handdoek voor haar kruis.

– Het was toch niet waar hè? vraagt ze. Haar stem is nu een stuk lager dan beneden.

– Wat? vraag ik, terwijl ik op mijn hurken het slotje van de minibar forceer.

– Dat van de Stichting Literaire Minnaressen, zegt ze.

Ik begin een kwart flesje champagne te pellen.

– Natuurlijk niet! lach ik, als een gek.

– Dat wist ik wel, lacht zij terug, gerustgesteld.

– Dus u had het meteen door? vraag ik, met mijn leukste knipoog en zo soepel mogelijk overeind komend.

– Nou ik had zo nog mijn twijfels, zegt ze genietend, maar Luc zei meteen dat het een grap moest zijn.

– Luc?

– Mijn vriend, zegt ze en ze gaat op de rand van mijn bed zitten. Luc zei: ga er maar rustig naartoe, want zo is Van Kooten niet. Ook omdat zoals u altijd over uw vrouw schrijft en zo. Nu leunt ze achterover, maar niet op de manier die ik begeerde.

– Mag ik u een glaasje champagne inschenken, vraag ik oberig.

– Nee, dank u wel. Maar hij durfde niet.

– Wie durfde niet? Niet een klein glaasje?

– Luc. Het is zo'n verlegen gast hè? Maar misschien dat u het eens door wilt lezen. En zij reikt mij de enveloppe aan, voorzichtig, alsof het een schaal is, waar een opgemaakte vis van af kan glijden.

– Omdat u zo veel meer contacten heeft, voegt zij er verontschuldigend aan toe. En het heeft geen haast.

– Nou dat valt wel mee hoor, spartel ik nog tegen.

– Het zijn gedichten en korte verhalen en gewoon zotte stukjes.

– Leuk, zeg ik, dat vind ik altijd leuk, zoiets te lezen.

– Echt?

– Nou en of! Altijd interessant. Houdingloos weeg ik de enveloppe.

– Awel, dan ga ik maar weer, besluit ze. En ze komt overeind. Weer stopt ze haar truitje in haar rokje, nu niet zo strak meer als beneden. En het spijt mij dat ik geen literaire minnares kan zijn voor u, besluit ze met een lachje. Was dat droevig? Ja, gemeend.

– Dat geeft niet, zeg ik, een heel hoofd groter dan ik me voel.

– Echt niet? vraagt ze. Medelijdend.

– U bent het al, dus dat geeft niet. In de lift weet ik niets meer te zeggen.

– U ziet er moe uit, zegt ze.

– Ja, zeg ik, ik ga meteen slapen. Ik breng haar tot de glazen buitendeuren.

– Dag mijnheer Van Kooten, zegt ze. Weer mag ik haar hand even vasthouden.

– Dag Patrice. En doe Luc de groeten. En ik heb genoten van je foto.

– Die had Luc gemaakt, glundert zij verstolen, want dat kan hij ook enorm, fotograferen. Maar als schrijver is hem toch nog beter.

– Prachtige foto, was het.

– Luc zei: met zo'n foto kom je voorzeker door de selectie. Nou. Welterusten, mijnheer Van Kooten. En alvast ten zeerste bedankt nog!

– Kees, zeg ik, zeg maar Kees. Maar meer tegen haar billen, want zij is alweer van De Keyserlei.

Terug op de kamer stop ik haar enveloppe diep in mijn reistas, kijk hoe het systeem van de hoteltelevisie werkt en schakel een paar keer heen en weer tussen de twee beschikbare Adult Movies tot ik de hardste porno denk te hebben gevonden.

EUFORIDRINE

– Zijn we er nou haast? vraagt mijn zesentachtigja-
rige overschoonmoeder vanaf de achterbank.

– Bijna Omi, zeg ik. Ik ben vijfenveertig.

– Nou van mij mogen we nog uren zo doorrijden
hoor, geniet mijn schoonvader, vierentachtig, hardop in de stoel naast me.

– Kom op Katrien! zegt mijn vijfenzeventigjari-
ge moeder die vroeger kleuteronderwijzeres is geweest, laten we gezellig wat zingen! En ze zet Hoog
Op De Gele Wagen in.

Mijn overschoonmoeder die wij, om haar niet
met de echte oma's te verwarren, Omi noemen,
zingt niet mee.

Haar gezicht is rood en gezwollen, zie ik in mijn
spiegeltje. Het is ook niet te harden van de hitte,
maar er mag geen raampje open want dan tocht zij
weg, heeft Omi ons gewaarschuwd.

– We schieten lekker op hoor Omi, roep ik bezwerend.

– Maar 't gaat voorbijhij voorbij, besluit mijn
moeder en dan zwijgen we weer en houd ik werk-
tuiglijk de belgiese vangrail.

Ik had natuurlijk gewoon in Den Haag moeten

blijven wonen, dan was dit allemaal niet gebeurd, soes ik. Ge-woon: het woord zegt het al. Onze ouders zijn gewoon hun hele leven in Den Haag gebleven, maar wij moesten zo nodig naar Amsterdam want daar gebeurde alles en in Den Haag geen ene malle moer dus. Na ongeveer drie jaar verhuisde je vervolgens naar buiten, omdat er gewoon veel te veel gebeurde in Amsterdam, zodat je nergens meer toe kwam.

Vanaf die tijd begonnen er files tussen onze wederzijdse woonplaatsen te koeken en ging het Gekkenwerk heten, wanneer je je ouders overdag wilde bezoeken. Laat staan in het weekeinde. Zo heeft het grootste deel van mijn generatie, tenzij zij wel eens een nachtje is blijven slapen, al in geen twintig jaar meer de ochtendkoffie bij haar ouders thuis gedronken. En als vader en moeder hun van de Nederlandse Spoorwegen cadeau gekregen dag Vrij Reizen hadden, moesten wij altijd net iets anders doen, wat niet kon wachten.

Gelukkig was er de telefoon.

– Fijn dat je even tijd had om te bellen! Gaat alles goed bij jullie, met de kinderen?

– Alles goed hoor. Alleen drukdrukdruk. Met vader ook alles goed?

– Ja hoor, dat gaat wel weer. Hij zit lekker voor het raam, hè vader?

– Mooi zo. Als hij zich maar niet te druk maakt. Hoe is het weer bij jullie?

– Al de hele dag regen, hebben wij hier.

– Goh, gek. Hier is het droog.

– Maar ik geloof dat we het ergste nu wel achter de rug hebben.

– Maar geen zon dus ook, hier niet.

– Je vader zegt net: ik geloof dat het warempel wat lichter wordt, hè vader?

– Gek. Het wordt hier juist donkerder, lijkt het wel.

– Wat zeg je vader?

– Ja hoor, daar heb je de eerste druppels.

– Volgens je vader is het hier nu opgehouden, gelukkig.

– Nou, hier is het dus net begonnen.

– Hè wat naar nou voor jullie! Zijn de kinderen binnen?

– Nee, nog op school. Dus ik moet als de donder mijn schuifdak dichtdoen.

– O jongen! Ga dan maar gauw!

– Ik bel van de week nog wel even.

– Niks forceren hoor, alleen als je tijd hebt! En je moet de hartelijke groeten van vader, natuurlijk.

– Doe ze terug. Dag ma.

– Dag jongen, ga maar gauw!

Dat waren je vader en moeder. Je Opa en Oma sprak je al helemaal niet meer, wanneer je buiten de ouderstad ging wonen. De meeste grootouders kregen wel telefoon, maar die was in de eerste plaats voor uitgaande gesprekken; als ze waren gevallen en naar het toestel hadden weten te kruipen.

De kleinkinderen kenden het nummer niet eens uit hun hoofd. Wel dat van de Kindertelefoon, zou ik hier cynies aan toe willen voegen – ik maak mijzelf graag wijs dat wij onze toevlucht bij Opa en Oma zochten, als wij problemen hadden. Wanneer er thuis een tijdelijke verkoeling optrad, fietsten wij in tien minuten naar het warme reserveadres. Kon Oma mooi gelijk de boord van de mouw van je nieuwe trui passen. De drie pennen zaten er nog in, en knelden gemeen rond je pols. Mijn andere hand hield ik losjes achter mijn rug, zodat Opa er zijn vaste kwartje in kon drukken.

– Zijn we er nou bijna? vraagt Omi. Ik schrik wakker.

– Ja hoor, sus ik; nou gaat het hard.

– Is dit Parijs? vraagt ze, met de huilerige stem die nu, na amper twee uur rijden, alweer op mijn zenuwen slaat.

– Nog niet helemaal, maar dat duurt niet lang meer hoor! klok ik onbekommerd.

We hadden Omi uitgelegd dat we, een eindje na Parijs, zouden overnachten. Dat heeft ze goed onthouden. Ik zit nu op de Ringweg rond Antwerpen. Het hotel waar ik voor vannacht vijf kamers heb besproken staat in Tournus, op zo'n tweehonderdvijftig kilometer voorbij Parijs.

– Wanneer zijn we er dan? vraagt Omi.

Godallemachtig.

– We zijn er als we er zijn Omi! blaf ik in mijn

spiegel. Ik krijg er prompt een gloeiende schaamkop van: met precies deze zelfde dooddoener scheepte ik vroeger mijn kinderen af, wanneer de verveling hun te machtig werd en zij gingen liggen rollen op de hoedenplank.

– Kom Katrien, laat mij je even lekker opfrissen voor zometeen in het hotel, helpt mijn moeder en zij keert de literfles Boldoot nog eens om.

– Ik had nooit met jullie mee moeten gaan, sputtert Omi door haar zelfgeborduurde zakdoek heen; ik had er nooit aan moeten beginnen!

– Niks van aantrekken, zegt mijn schoonvader kalmerend vanuit zijn linker mondhoek; allemaal aandachttrekkerij.

Toen ik een half jaar geleden voorstelde dat wij in deze grote vakantie weer eens voor een paar weken met zijn allen een groot huis zouden huren, zoals wij dit al driemaal eerder hadden gedaan, zei Omi dat zij niet meer meeging, omdat het haar veels te warm was in Frankrijk en overal knoflook in zat.

– Dan gaan wij ook niet mee! riepen mijn kinderen volgens afspraak.

Ik zei dat het helemaal niet te warm maar daar juist net lekker was in de eerste twee weken van juli en trouwens het was een heel oud kasteel met ontzettend dikke muren uit de dertiende eeuw dus als het dan buiten te warm werd ging Omi toch lekker binnen zitten zeker?

– Nee laat mij nou maar hier, hield ze haar poot stijf.

– En wie moet er dan op je passen als je helemaal alleen thuis bent? riepen wij geniepig.

Daar had Omi niet van terug.

En het is waarschijnlijk de laatste keer dat je nog meekunt, dachten wij. En als ze er eenmaal zit dan vindt ze het fantasties, met de kinderen om zich heen, de hele dag. Mijn vrouw was het nog speciaal aan Omi's huisarts wezen vragen, of het geen kwaad kon, die hitte. In het minst niet, had de dokter verzekerd. Hart, bloeddruk, longen – voor een vrouw van haar leeftijd was alles nog prima in orde. Alleen de benen wilden niet zo best meer. Daarom gebruikte Omi al vijf jaar lang een stevige stok met een rubberen antislipdop. Daar ben ik nog voor terug gemoeten, de nederlands-belgiese grens over, omdat zij hem in het toilet van het laatste hollandse benzinestation had laten staan, niet gewend aan ondersteuning door twee zorgzame achterkleinkinderen.

– Moet jij niet plassen Omi? We gaan allemaal heerlijk een plas doen hoor! Nee, Omi hoefde niet te plassen. Dan komen we terug en als ik wil wegrijden zegt ze: niemand vraagt er of ik soms geen plas moet! Dus haal ik de kinderen weer uit de tweede auto (het wagentje van mijn schoonmoeder, zesenzestig, waar mijn vrouw aan het stuur zit) en die geleiden haar liefdevol naar het Toilet. Als ze Omi weer achterin helpen en ik vraag of het gelukt is, antwoordt zij: nou, het was niet de moeite hoor.

– Waar is mijn stok? vroeg ze twintig kilometer later. Vandaar.

– Waar is die meid nou toch? vraagt ze nu weer. Mijn vrouw heeft ons tot Parijs keurig kunnen volgen, maar in de vijfbaansmaalstroom van de périphérique heb ik haar uit mijn achteruitkijkspiegel verloren.

– O die zien we zometeen in het hotel hoor Omi, stel ik haar gerust, intussen boven mijn hoofd naar het verlossende bord met Autoroute Du Sud spiedend, want het zou niet voor het eerst zijn dat ik anderhalve keer om Parijs heen moet rijden omdat ik de cruciale afslag Lyon heb gemist.

– Wil je nog een beetje odeklonje lieverd? vraagt mijn moeder.

– Nee ik moet niks meer. Ik heb het niet meer, simt Omi.

– Katrien, nou moet je niet zo moeilijk doen hoor! schiet mijn moeder uit haar slof. Wij zitten net zo goed te stikken! Maar we hebben heerlijk vakantie met de kinderen en straks slapen we zalig in een sjiek hotel en morgen wonen we in een echt kasteel!

– Zijn we er dan bijna? wil Omi nog een keer weten.

Mijn moeder kiest nu voor een zachtere aanpak, trekt het in vieren gevouwen Zaterdags Bijvoegsel uit haar tas met honderd broodjes, ontdopt haar vulpen en zegt: een piepzak die je kunt eten Katrien!

– Nee mens, ik moet niks hebben! blaast Omi. Haar doorweekte permanentje glinstert van de transpiratieparels. Ongeveer vanaf het zeventigste levensjaar krijgen alle nederlandse vrouwen een dun grijs permanentje; dat gaat vanzelf. Ik zie haar linkeroog dat, na een aanval van Gordelroos, altijd roodomrand en waterig is gebleven en ik ga kopje onder in een golf van medelijden. Haar zoon is gestorven aan de Birma-spoorweg. Zij heeft mijn vrouw wel eens toevertrouwd dat ik zo op hem lijk. Als ik slaap vooral heel erg.

– Dat heet een Cryptogram Katrien, doceert mijn moeder. Dat moet jij ook doen, dat houdt je hersens lenig. Nou, denk eens goed na: een piepzak die je kunt eten. Vier letters.

– Doe maar even niet Annie, zeg ik in mijn spiegeltje.

– Nee, ze moet bezig blijven, houdt mijn moeder vol. Katrien, luister: waar de arm zit, daar kan soep in. Het zijn maar drie letters. Ik zal je helpen: de eerste is een K.

– Verdomme Annie, doe die krant weg! val ik uit, want als ik nu niet ingrijp dan gonst het tot Mâcon van de Dienstbodes die behoren tot het bijenvolk (acht letters) en Hout dat resteert na een mislukking (zes letters). Die vroeg zij mij vanmorgen, toen ik bezig was onze te vele stuks bagage in de kofferruimte te proppen.

– Ik wil alleen maar helpen hoor, moppert mijn moeder, terwijl ze haar pen dichtclipt en haar krant weer wegbergt.

– Dat weet ik wel lieverd, zucht ik en mis op een haar na de beslissende afslag.

– Au revoir Paris! declameert mijn schoonvader door zijn zijraampje.

– Cryptogrammen zijn te moeilijk voor Omi, nog, krabbel ik terug; je moet van de week maar eens een eenvoudig kruiswoordraadsel met haar proberen, lekker op het terras, in de schaduw. Met een kopje thee, fantaseer ik er nog bij, want nu heb ik medelijden met de hele achterbank.

– Kruiswoorden vind ik niks aan, verklaart mijn moeder, naar buiten kijkend, waar niets te zien valt.

– Hebben we een terras bij ons château? vraagt mijn onbetaalbare bijrijder, met spleetogen van genot. In allebei is hij dit jaar geopereerd aan staar.

– Een terras van vijfhonderd vierkante meter, beloof ik plechtig. Een terras en een biljart en een zwembad. En kijk eens in je buitenspiegel; daar is je dochter alweer. En je vrouw.

– En de kinderen? Waar zijn dan de kinderen? jengelt Omi.

– Op het dak, antwoordt mijn moeder; de kinderen zitten bij Bar op het dak.

– Godneetoch! schrikt Omi.

– Welnee! roep ik schaterend; Annie maakt maar een grapje, hè Annie? Deze grap is bedorven, drie letters.

143

– Rot, zegt mijn moeder.

– Goed zo! Een rotgrapje, dat was het! Nee hoor Omi: de kinderen zitten lekker bij Bar en Helen achter in de auto en vanaf morgen, moet je nagaan, heb jij de hele dag je dochter, je kleindochter en je achterkleindochter om je heen! Nou hoe vind je dat?

– En die lieve jongen, glimlacht ze, voor het eerst.

– Kasper ook, wat dacht je! Dat is me wat, hè? Vier generaties in een kasteel? Maar dat mag ook wel, want we zien je nou eenmaal niet zo vaak, het hele jaar, vind je ook niet Annie?

– Veel en veel te weinig! geeft mijn moeder toe, jullie ook een pepermuntje, daar voorin?

– Graag lieverd, zeg ik en steek haar achterwaarts mijn hand toe, waarvan zij vlug de rug kust.

– Ah oui, du pepermunt, volontiers volontiers! oreert mijn schoonvader.

– En is het nou nog ver? vraagt Omi. Ik hoor dat ze het pepermuntje gebruikt om haar vraag zo terloops mogelijk te laten klinken. Ze kan er niks aan doen, ze dementeert een beetje. Een maand geleden riep haar dochter mij nog te hulp, omdat Omi niet geloofde dat de Hel niet bestond en dat heb ik toen telefonies bewezen; dat zij nergens bang voor hoefde te zijn, na haar dood. En trouwens: zij ging toch zeker nog lang niet dood? Om de stemming erin te houden kijk ik met een frons achterom, alsof ik iets belangrijks ben vergeten.

144

– Hoe was dat oude spreekwoord van de reiskoets ook alweer Omi? wil ik van haar weten.

– De rouwkoets, zegt Omi.

– O ja! roep ik blij; de rouwkoets!

– Als de rouwkoets voor de poort staat dan is het zover, declameert ze gehoorzaam.

– Juist! juich ik en ik bons op mijn stuur bij wijze van applaus; als het is zoals het hoort, dan staat de rouwkoets voor de poort! Zo maken ze ze tegenwoordig niet meer. En die heb ik toch maar mooi van jou geleerd.

– En al zie je de toren staan dan is de reis nog niet gedaan, zegt mijn moeder teder; dat zei mijn vader altijd, als ik wel eens met hem ging fietsen.

– Prachtig! zing ik.

– En weet je wat jij bent? vraagt mijn schoonvader.

– Nee?

– Jij bent een jongen als een vlag; een stok in je gat en het raam uit! Dat was geloof ik een onderwijzeres die dat zei, bij ons op het dorp.

We moeten er alle vier om lachen. Zo gaatie goed, zo gaatie beter, alweer een kilometer.

Ik heb ons château gekozen uit de schaars geïllustreerde brochure van een internationaal bureau dat villa's, kastelen en paleizen verhuurt, zo peperduur dat oplichterij mij lijkt uitgesloten. Wie op papier voor voordelige, een paar honderd gulden per week kostende vakantiehuisjes kiest, die komt, tenzij hij heel goed tussen de regels kan lezen en alle lyrische omschrijvingen een paar slagen terugschroeft, in de praktijk bijna altijd bedrogen thuis. Maar een rijke stinkaard zoals ik, die vierduizend gulden heeft betaald voor een verblijf van veertien dagen op een dertiende-eeuws, maar in 1982 geheel gerenoveerd kasteel, mag toch verwachten exact datgene aan te treffen wat de folder hem beloofde?

Ik weet nog wel dat mijn vrouw en ik tegelijk in de lach schoten toen we lazen dat er bij ons château een zwembad behoorde van 6 x 2 meter en hoe wij als vanzelfsprekend aannamen dat die 2 een drukfout was en dat ons bad natuurlijk 6 bij 12, 6 bij 20 of 6 bij 32 mat! Wat deed die grootte er trouwens toe? Zolang er maar een Opa en drie Oma's op de bassinrand zouden passen, om genietend toe te kunnen kijken hoe hun kleinkinderen daar rondpoedelden; in hun bruingebrande, strakke pracht die nog van geen wijken weet.

De authentieke Ridderzaal leek ons daarentegen wat ruimbemeten, met zijn 30 meter lengte en 8 meter breedte. Het zou nog niet eenvoudig zijn om het daar 's avonds een beetje knus te krijgen!

En inderdaad: alle gezelligheid hadden wij zelf moeten meebrengen, zien wij wanneer we de door doornen overwoekerde toegangspoort van het Château de Prade passeren. We hebben goed geslapen en stevig ontbeten in Tournus, maar niets ter wereld is zo slopend als een franse tolweg in de tweede week van juli. De laatste drie uur, toen de Boldootfles leeg was, heeft mijn moeder af en toe aan Omi geschud om te zien of zij nog reageerde en dan stamelde ze alleen nog maar 'de hel, de hel'. Maar we zijn er en we leven nog.

Eerbiedig knerpend parkeren wij onze auto's op het onkruidrijke grindpad. Plechtig stappen wij uit en scheuren onze doorzwete kleding los van ruggen en dijbenen.

Mijn dochter durft als eerste iets te zeggen.

– Hij heeft helemaal geen torens! roept zij teleurgesteld en ik begrijp hoe ons kasteel, gedurende de achter ons liggende duizend kilometer, in haar hoofdje almaar sprookjesachtiger vormen heeft aangenomen.

– Die konden ze toen nog niet bouwen lieverd, torens, doceer ik. Ik help mijn schoonvader uit de auto en wissel een snelle wanhoopsblik met Bar. Het uitzicht is hier prachtig, Omi beweegt weer en honderdduizend krekels staan aan, maar de door ons gehuurde behuizing heeft meer weg van een kazerne dan van een kasteel.

– Schitterend! O wat is dit schitterend! zucht mijn ondeukbare schoonvader en hij schudt in ongeloof zijn hoofd tegen het kolossale, drie verdiepingen hoge gebouw. Beddelakens en handdoeken zelf mede te nemen, stond er in de briefing. De entree heeft wel iets monumentaals, maar dat komt meer door de uit blokken zandsteen opgetrokken omlijsting dan door de dubbele deur zelf, die te iel is, half uit zijn hengsels hangt en bladdert.

– Kijk eens jongens, wat interessant! roep ik, daar zie je nog de resten van een oude zonnewijzer! En ik wijs op het zenit van het halfronde timpaan, waaruit een ijzeren staaf steekt. Er bungelt een geroeste koetslantaarn aan en op de bruinverkleurde en vervelde muur zijn vaag nog wat romeinse cijfers zichtbaar.

– Dat komt omdat er hier vroeger ontzettend veel Romeinen hebben gezeten, raaskal ik verder, en trouwens ook heel veel protestanten later, in Anduze, maar daar gaan we morgen wel even kijken. En de Grotten van Trabuc, die moeten we ook niet vergeten! En die zware dwarsbalk boven de deur, onder het timpaan, weten jullie hoe die heet? Nee? Dat is de architraaf. Dat zou een mooi woord voor je scryptogram zijn, Annie! Hoewel – timpaan, nee. Een timpaan is driehoekig hè, en dit is een halve cirkel.

– Zijn we er nou bijna? roept Omi, vanaf mijn achterbank.

– Zullen we eerst mijn moeder even op bed leggen en de lakens uitpakken en dat je ons dan morgen verder rondleidt? vraagt mijn schoonmoeder, met een strakke mond.

– Prima! roep ik, goed idee. Doen we! Ha: gezellig mensen! Gezellig gezellig gezellig!

– Nou, we zijn er hoor Omi, zustert mijn dochter, er zijn alleen geen torens, want die konden ze toen nog niet bouwen.

– Blij toe, zegt Omi.

– Jullie hebben nog nooit zo'n klein zwembadje gezien, meldt mijn zoon verontwaardigd; tenminste als die container daar het zwembad is, want er zit geen water in.

Nu komt er een witte Porsche de helling opgestoven. Zo hard rijdt alleen de eigenaar zelf over zijn landgoed, denk ik. Ja hoor, hij is het: Monsieur Richter, Comte. Een rijzige, geheel verzorgde vijftiger in een smetteloos, blauwwit gestreept zomerkostuum. Daar had ik vroeger nog eens een jasje van, schiet mij te binnen. Hij is zo bruin als je alleen maar van een miljoen per jaar kunt worden en hij heeft weinig haar, maar draagt dit met zo'n arrogantie, dat niemand het in zijn hoofd zou durven halen om hem Kaal te noemen. Monsieur le Comte kaal? Mais non, pas du tout! Op wie lijkt hij toch?

– Monsieur Von Kooten! roept de Kasteelheer en hij schudt mijn schoonvader hartelijk de hand. Madame, madame, madame, madame, ah mademoiselle. Geconcentreerd begroet hij onze dames, waarbij hij licht naar buigen zweemt. Ik zie ze smelten. Ook Omi. Berlusconi, nu weet ik het, onze graaf lijkt als twee druppels water op de italiaanse tycoon Berlusconi.

Et bonsoir à vous jeunehomme! Geestig bedoelde,

overdreven stevige handdruk voor mijn zoon. Monsieur. Hij zwengelt twee keer plichtmatig aan mijn arm, denkt kennelijk dat ik de chauffeur van de familie ben, wendt zich dan tot mijn schoonvader, zegt dat hij ons zal voorgaan en vraagt, met bikkelharde charme, of het convenieert dat de loodgieters morgen het zwembad komen vullen, of anders overmorgen. In elk geval deze week nog, of anders begin volgende week. Oja, dat zou hij bijna vergeten: deze Open Haarden mogen, helaas helaas, geen van alle gebruikt worden, omdat ze nog nat zijn van de restauratie. Daar zullen wij cultuurliefhebbers wel begrip voor hebben denkt hij zo, alsook voor de huisregel dat wij niet mogen eten of hardlopen hier in de Ridderzaal en dat het kinderen van onder de achttien niet is toegestaan zich op te houden rond dit biljart, waarvan de ballen momenteel in de reparatie zijn.

Ik knik op al zijn mededelingen laf van Ja en Amen, terwijl ik ons gezelschap zo efficiënt mogelijk probeer te delen op de beschikbare kamers en bedden.

De juiste familieverhoudingen zijn de graaf intussen duidelijk gemaakt door mijn vrouw en nu mag ik, onder zijn schamper toeziend oog, nog vijf minuten staan stuntelen met de reusachtige buitendeursleutel, om de slag van het slot goed te pakken te krijgen. Als er voor het overige iets niet in orde mocht zijn, kan ik hem vanzelfsprekend bellen; niet voor tweeën en niet later dan half drie. Hij dacht echter niet dat wij elkander nog van node zouden hebben, tenslotte was de huur al drie maanden tevoren keurig netjes voldaan aan het kantoor en à propos, als ik zijn château het volgend jaar direct bij hem boek scheelt ons dat 30%! Dan spuit hij weg, terug naar Nice en helpen wij Omi de trap op.

Spekgladde treden zijn het, hol als opgehouden handen. Ze worden tweemaal onderbroken door een overloop, waarna je een hoek om moet, waarin een harnas had zullen staan. Er loopt een dun en koud metalen leuninkje langs, dat los zit. Daarom stellen wij een vaste klimvolgorde vast, waarin mijn dochter achterstevoren vooropgaat. Dan komt Omi zelf, met haar stok rechts en ter linkerzijde leunend op mijn zoon en twee treden lager volgen Bar en ik, bij wijze van vangnet en om te roepen dat alles goed gaat. Hier op onze allereerste avond zo stumperend, schieten mij de boeken van de tekenaar Jo Spier te binnen, die vroeger bij mijn ouders op de salontafel lagen en waarin het wemelde van cirkelgangen en gespiegelde levensfases: op eerste plaatje helpt Grootmoeder kleinkind eerste stapjes zetten, tweede tekening toont kapstok met diverse jassen, hockeystick en wandelstok, derde prentje laat kleinzoon zien die Oma ondersteunt bij laatste passen.

Wij kiezen voor Omi een ruimte op de eerste verdieping. Zij kan er beschikken over een enorm bureau, een prachtig uitzicht op het dal en een eigen badkamer. Kim zal haar uitleggen dat het bidet geen toilet is en andersom ook niet. Op deze etage bevinden zich ook de keuken, de eetkamer, de salon en het terras van 500 vierkante meter. Dat zal ik morgenochtend onmiddellijk napoten, want ik pik nu niks meer. Voor de veiligheid betrekken Bar en ik de meest gehorige van de twee kamers naast Omi en dan sla je drie bedloze zaaltjes over en kom je aan het laatste vertrek van de gang. Hier wil onze dochter wonen. Om zich, bij gebrek aan torens, toch zo jonkvrouwelijk mogelijk te voelen, heeft zij gekozen voor de engste kamer, waarin zeven bedden staan, waarvan vier zonder matras. Kasper heeft er twee van afgehaald. Hij heeft ze op het biljart gelegd. Daar wil hij slapen, direct naast de Ridderzaal, waar ze wat mij betreft zo hard mogen hollen als ze willen, want afgezien van een mank dressoir staat er helemaal niets.

Onze ouders zullen de beide kamers rechts naast de voordeur bewonen, ook op de begane grond. Veel o's en a's en au's, geroep, gehol en gegiechel. De deuren en laden van alle kasten worden krakend open- en dichtgewurmd, onder toezicht van een twintigtal hooghartige inteeltkoppen: het zogenaamde voorgeslacht van Comte Richter, dat, op schilderijen vol winkelhaken, her en der en schots en scheef het wijkende behang siert. Wij hebben veertien vertrekken tot onze beschikking, maar niet eentje verdient de naam Stijlkamer. Er staat van alles, maar er zit geen lijn in. Ik vermoed dat de graaf dit kasteel gebruikt als meubelopslagplaats. Mijn schoonvader wijst een paar keer op een kastje, klakt bewonderend met zijn tong en vraagt mij: Louis Seize? Dan kijk ik even bedenkelijk, houd mijn hoofd scheef en zeg: nee, zo te zien is dit Quinze hoor.

– Ah! Louis Quinze! zegt hij blij en blijft dan nog even dankbaar staan kijken, omdat het nu een heel andere kast is. Wat een heerlijke man en wat ben ik toch prima getrouwd!

Ons kasteel kan op vier schitterende schouwen bogen, maar hun monumentale effect wordt teniet-gedaan door de gammele straalkacheltjes die graaf Richter in hun open monden heeft geplant. In de Salon, van waaruit je zo het terras kunt oplopen, staat een aantrekkelijke, hoge boekenkast met gla-zen deur (Quinze? schat mijn schoonvader; nee Louis Seize, antwoord ik taxerend), maar als je een boek pakt, valt het uit zijn leren, beschimmelde band. Ik lees er geen bekende titels of schrijvers tus-sen – dit is een per strekkende meter gekochte biblio-theek, om naar te kijken. De gordijnen, die in alle kamers van het plafond tot de vloer bedoelen te reiken, houden het gemiddeld op kniehoogte voor gezien en als vloerbedekking heeft de graaf dure karpetten of perzen gemeden en gekozen voor on-verwoestbare matten van bies, riet of kokos.

De salon heeft de meeste allure, dank zij een spiegel van blauw Venetiaans glas en twee kapotte stolpklokken waarvan de wijzers keurig op acht over tien zijn gezet, maar dit weinige fraais kun je weer wegschrappen tegen de grauwe lakens die driekwart van de meubels afdekken. Maar hij kan mij verder wat, Graaf Porsche!

Dus wanneer de hele familie naar bed is, onthul ik al het meubilair, prop de lakens op een hoop in de hoek en schuif net zo lang met de capucins, chiffo-nières en canapés tot er een hollandse janboel staat.

Ik schroef een van de vier meegesmokkelde flessen whiskey open en ontbied mijn vrouw in de salon. Zij ploft neer op een bergère en ik schenk ons in.

– Die lakens doen we morgen op de bedden, zeg ik.

– Welke lakens?

– Van het kasteel. Ik wijs op de berg dode spoken.

– En onze eigen lakens dan? vraagt mijn vrouw.

– Die houden we lekker schoon.

– Die zijn nou toch al gebruikt?

– Als we ze morgen verwisselen niet. Dan kunnen ze thuis nog makkelijk. Lakens zelf mede te nemen, ja: hij denkt zeker dat ik gek ben! Niks hoor: wij gebruiken lekker meneer de Graaf zijn beddegoed.

– Zeik niet, zegt mijn vrouw; en geef mij nog eens wat.

Een kwartier later zijn we dronken. We proberen elkaar uit te kleden, slaan samen een laken om en kiezen positie op ons terras, onder de blote hemel.

– Ik weet zeker dat er hier precies evenveel krekels zitten als er sterren staan, beweer ik.

– Niks zeggen, zegt mijn vrouw.

Gehoorzaam zwijg ik een minuutje. Ik probeer onhoorbaar adem te halen. Dan geeuwt ze dat we naar binnen en naar bed gaan en beloof ik: Morgen haal ik lekkere verse croissantjes.

Iets poëtischers heb ik niet in huis.

– Omi ook een lekker vers croissantje?

– Zijn er geen gewone boterhammen?

– Ach Omi, die zijn toch veel minder lekkerder, van die lompe hollandse boterhammen? Kim spreekt haar toe op het toontje dat zij thuis voor de allerkleinste buurkinderen bewaart.

– Nou als er niks anders is dan zal ik wel moeten hè? Iedereen heeft als een blok geslapen, alleen Omi heeft de hele nacht geen oog dichtgedaan. Zei ze, toen mijn schoonmoeder haar wakker had geschud.

Dat zal vanavond wel beter gaan, als zij wat meer gewend is aan deze heerlijke gezonde lucht; beloven Bar en ik. Vannacht tegen drieën zijn wij maar in de Salon gaan slapen omdat we, door Omi's gesnurk, geen oog konden dichtdoen.

– Nog een croissantje Omi?

– Nou, als je ze toch weggooit.

– Okee, jongens, praat ik er regelend overheen, de ochtend kan worden besteed naar eigen inzicht en over een half uur is er koffie op het terras!

– Du café! Delicieux! roept mijn schoonvader en mijn schoonmoeder ruimt op en mijn moeder doet zingend de afwas. De kinderen gaan de omgeving verkennen.

– Neem je je mes mee, Kas? vraagt Kim.

Ik installeer mij in de zon, met de bij de bakker gekochte streekkrant en waan mij een hollandse godfather. Om dit gevoel is het mij te doen. Het is nu de vierde maal dat ik mijn naaste familie op een franse vakantie heb meegesleurd. De eerste twee keer, toen mijn vader nog leefde en het gezin van mijn zuster zich nog vrij kon maken, overdonderden wij de dommelende dorpjes waarin wij neerstreken met onze schaterende vitaliteit en moeten wij een schatrijk, eeuwenoud geslacht van bon-vivants hebben geleken, zoals wij in een vier à vijf auto's lange, vrolijk toeterende colonne een hoofdstraatje verstopten, slordig parkeerden op la grande place en, omdarteld door drie, vier van onze beschaafd blaffende hofhonden, te voet op zoek gingen naar een restaurantje dat ons verwende gezelschap toereikend kon herbergen. En ieder was nog goed ter been en hoefde nog niks te slikken en mocht nog alles eten en drinken. Grijs was ik ook nog nauwelijks. We hadden bij wijze van spreken een voetbalelftal kunnen vormen, om een wedstrijd te spelen tegen de ploeg van de plaatselijke brandweer of het gelegenheidsteam van de naburige camping.

Als ik nu om mij heen kijk, kom ik amper tot een volleybal-zestal. Toch ben ik heel content met mijzelf. Een ieder, Omi uitgezonderd, heeft al een keer of twee gezegd dat dit zo'n heerlijke vakantie is, die ze toch maar mooi aan mij te danken hebben! Zo mag ik het horen.

En zo mag ik het zien, de volgende dagen.

Mijn schoonvader haalt zijn frans op in gesprekken met de loodgieters, die een hele dag speuren naar het mankement van de elektrische pomp waardoor er maar geen water in ons zwembadje wil stromen; mijn moeder heeft, op het terras, mijn dochter apart genomen en zegt: dit euvel ligt op een verhoging Kim, zes letters; en daar komt Bar met haar mama de poort doorgestrompeld, uitgeput met drie stokbroden zwaaiend. Hebben op het heetst van de dag de anderhalve kilometer lange afdaling naar de campingwinkel aan de weg naar Lasalle gemaakt, want willen allebei vijf kilo afvallen.

– Zijn jullie daar eindelijk? roept Omi uit het raam van haar kamer, kind ik heb doodsangsten uitgestaan!

– Ja, 't is goed hoor, zegt haar dochter en slaat haar ogen ten hemel.

– En gaan we nou nog eens wat eten? zeurt het van boven, ik val bijkans flauw van de honger!

Als Kim een kwartiertje later vraagt of zij een lekkere sandwich au jambon wil, heeft ze plotseling geen trek meer.

– En je pillen? informeert Bar strak; je neemt toch wel elke morgen je pillen?

– Ja kind, schudt ze huilerig haar hoofd (dat al een lekker kleurtje heeft gekregen); maar dat is haast geen doen hoor, je pillen innemen zonder fatsoenlijke kop thee erbij.

Het lukt niet, ze weigert. Ze mag niet blij zijn van zichzelf. Ze is met niets tevreden.

Een paar jaar geleden, toen ze nog niet met deze stok liep, verstuikte ze eens haar enkel toen zij een weekend bij ons logeerde. Mijn vrouw haalde snel een paar krukken voor haar, bij het Groene Kruis.

– En ik heb er maar eentje nodig! riep Omi, toen haar kleindochter er triomfantelijk op binnenhinkte, jullie doen ook alles in het groot hè? Geen wonder dat dit huishouden een paar centen kost!

– Okee, besluit ik bars; dan eet Omi maar niks! Wij gaan in elk geval even samen naar Anduze en vanavond eten we met zijn allen in Lasalle dus die aardappels zijn alvast voor morgen Omi; hartstikke fijn dat je weer zo'n mooie grote pan geschild hebt!

– Kan je dat nou niet vanmiddag doen Omi? vroeg mijn dochter haar gistermorgen behoedzaam; want nou is het net of de dag alweer voorbij is.

– Hoe heetten ze nou verdomme toch ook alweer? vraag ik vertwijfeld.

– Ja! roept Bar; ik weet het !

– Hoe dan?

– Was het geen Kinortine?

– Verdomd ja, Kinortine! roep ik uitgelaten, dat waren ze! We hebben besloten dat we zullen proberen Omi kunstmatig op te peppen en we zitten al een kwartier op dit terrasje, omdat we niet op de naam konden komen.

Kleine, roze pilletjes waren het, die je in 1968 gewoon zonder recept kon krijgen en waar de Eiffeltoren tweemaal zo hoog van werd, de dag dubbel zo zonnig en een Parijse nacht driemaal zo lang. Wij kopen eerst acht tandenborstels, wat liters eau de cologne, een fles jodium en een maxipak aspirine en vragen dan, alsof dit ons bijna was ontschoten: Ah oui! Avez-vous peut-être du Kinortine?

Kinortine? Nee, dat kent de apotheker niet. Ik schat hem zo'n vijftien jaar jonger dan wij zijn, maar hij is niet onaardig, dus leggen wij hem Omi uit. Oude dame somber somber niet genieten dus wij ook niet en is jammer want nu trieste vakantie in uw zoete France. Ah juist. En het hart van de oude dame? vraagt de apotheker, terwijl hij zijn onderlip krult, een lade opentrekt en peinzend de inhoud overziet.

– O zij heeft een hart als een paard! verzeker ik hem; de oude dame zij is namelijk zo sterk als een beer!

– Als een beer, als een beer, herhaalt de apotheker fronsend en doet de lade weer dicht. Nu gaat hij naar de wandkast achter in de zaak, schuift deze open en tilt, met behulp van een trapje, een koekblik van de bovenste plank. Hij plaatst het voor ons op de toonbank. Er zitten een stuk of vijftig buisjes in, allemaal van hetzelfde merk. Hij kiest er eentje uit en legt het plechtig en dwars voor mij neer. Dan sluit hij de trommel en zet hem weer weg.

Euforidrine heten ze, lees ik.

Hoe lang blijven wij hier nog? wil de apotheker weten.

– Een maand, lieg ik.

– Zes weken, overdrijft Bar en ik weet dat zij nu het liefste linea recta naar de dorpspomp zou lopen om daar een handvol Euforidrine achterover te slaan, want bij tijd en wijle is zij precies zo'n gretige alleskicker als ik.

– Dan heeft u hier wel genoeg aan, schat de apotheker. Begint u voorlopig met een kwart tabletje bij het ontbijt en dan in de middag, om een uur of drie, eventueel nog een halve. Maar na de avondmaaltijd niets meer toedienen, want dan zou de oude dame problemen met de nachtrust kunnen krijgen. En dat is dan – hij pauzeert even en leest de prijs van het begeerde buisje uit onze ogen af – dat is dan honderdzestig, nee, excuseer, honderdtachtig francs. Plus de rest van uw artikelen maakt totaal vierhonderdentien francs.

Ik geef hem een biljet van vijfhonderd francs en moet me inhouden om niet laat maar zitten te zeggen.

De volgende dag is het Quatorze Juillet en wek ik iedereen een half uur eerder, met pannedeksels en de Marseillaise. Juist omdat er in zo'n klein dorpje bijna niets gebeurt, wil je alles meemaken; het is dezelfde vernauwing die je, eenmaal over de grens, uren doet lezen in een vijf dagen oude hollandse krant.

– Wat een hitte is het weer hè? klaagt Omi aan het ontbijt.

– Daar heb ik een pilletje tegen Omi, haast ik mij en ik geef haar een halve Euforidrine.

– Dat nemen alle oudere dames hier tegen de warmte, bezweert Bar. We hoeven niet aan te dringen; Omi slikt alles.

Mijn schoonmoeder tuit mij een kusmondje toe.

– Zeventienhonderdnegenentachtig, zegt Kasper tegen Kim, van de La Bastille. Ze houden zich in, passen zich aan en sloven zich uit, maar voeren hun eigen gesprekken, met geheime, voor elkaar gemaakte stemmetjes, die ons buitensluiten.

– En de afwas laten we staan, omdat het feest is, beslis ik. Dan kachelen wij met twee auto's naar Lasalle.

De hoofdstraat heeft zich opgemaakt met kruislings gespannen strengen gerafelde vlaggetjes en op het pleintje staat een opklapbare muziektent. Uit de luidsprekers aan de zes blauwwitrode hoekpalen bromt Brassens.

Op het terras er tegenover piepen wij onze acht stoelen tot een grote, gezellige kring. Vijf koffie en twee chocolat chaud. Wat wil jij drinken, Omi?

– Welja, doe mij ook maar een bakkie leut, zegt Omi. Waar gaat het eigenlijk over, deze feestdag?

– 1789, zegt Kim en ze begint het haar uit te leggen, zonder de doden.

Ons terras wordt verder bevolkt door een trio verdwaalde Engelsen, vader en moeder met ontroostbaar lelijke dochter; vier plaatselijke artiesten die, naast het kerkje, op poncho's hun gebakken kunstnijverheden hebben uitgestald en twee gezette franse mannetjes die voortdurend afscheid nemen. Ze pompen elkanders bekabelde armen, waarna de ene vastberaden het café binnenloopt, als de ander zich nog iets belangrijks herinnert en hem terugroept. Dan beginnen ze opnieuw te praten, op de verontwaardigde toon die in Frankrijk hartelijk bedoelt te zijn. Nu blijven zij erbij staan, zodat hun buiken vrijuit kunnen losbollen. Het T-shirt geeft sommige franse mannen een Boeddha-allure.

– Leuke vent is dat, zegt Omi; heeft er iemand een sigaretje voor me?

– Asjeblieft Katrien! zegt mijn moeder en trekt en richt haar pakje zo snel als een pistool.

– Feu! roept Omi, dat zeggen ze hier toch tegen vuur, Feu?

– Heel goed Omi, klapt Kim en Kasper geeft haar een vuurtje.

– Hoe oud zou dat mannetje zijn? vraagt Omi, inhalerend, aan Bar.

– Ik denk jouw leeftijd, zegt Bar. Dat lijkt me wel wat voor je.

– Ach kind, ik spreek geen woord Frans, zegt Omi, koket.

Het mannetje draagt een regenhoedje met kalkstrepen. Een metselaar schat ik, gelet op zijn armen. Zijn T-shirt is geel, omdat de Tour de France aan de gang is. De stevige bruine beentjes eindigen in blote voeten met rubberen teenslippers.

– Ze blijven er goed uitzien door dat mooie weer hè, zegt Omi, voor zichzelf nu.

– Ik neem een cognacje bij de koffie, geeft mijn vrouw nu het sein tot feesten.

– Dan doe ik mee, besluit haar vader; moi aussi!

– Hè ja: een lekker cognacje, schurkt mijn schoonmoeder en dan kan mijn eigen moeder niet weigeren.

Ik bestel nog zes koffie en zes cognac.

– Vinden jullie het goed als wij gaan zwemmen? vraagt Kasper.

– Ja! Wanneer is dat verdomde zwembad nou eens een keer klaar? vraagt Omi verontwaardigd; wat zei hij daar nou over, die boemelbaron?

– Dan lopen we wel naar huis straks, vult Kim aan.

– Lekker! roep ik; heerlijk, ga maar gauw!

Ze zwemmen bij een camping aan het zijarmpje

van de Gardon, dat geen naam heeft. Je kunt er onder een waterval staan douchen, wat alle kampeerderskinderen de hele dag doen – sommigen gillend dat het eng is, anderen zonder een kik te geven, maar allemaal tot in hun vezels voelend dat ze vanaf de oever op durf worden bekeken.

Aan het tafeltje naast ons nemen twee mannen plaats, die om Vin Rouge vragen. Eerst herken ik ze niet in hun burgerkleding. Dan zie ik dat het onze beide loodgieters zijn. Die ene draagt een medaille. Bonjour en die twee glazen wijn zijn voor mijn reke-' ning, gebaar ik.

– Morgenavond is ons zwembad in orde, belooft de plombier met de onderscheiding, proostend.

– Dat zeiden ze gisteren ook al, protesteert Omi; kunnen we het zelf niet vullen?

– Wat vullen Omi?

– Dat zwembad! Als we allemaal twee emmers nemen, dan is dat in een middag gepiept. Gewoon uit de kraan. Hoeven die arme kinderen niet in die vieze rivier te poedelen. Geef mij nog eens zo'n stinkstok van je, Annie?

De mond van mijn schoonmoeder hangt al een tijdje zachtjes open van verbazing. Nu komt er een majorettencorps ons pleintje opgetrommeld. Twintig meisjes, van vijf tot vijfenveertig jaar. De helft gaat geperst in een texaans uniform, de andere helft marcheert in spijkerbroek; het is een repetitie, voor vanavond. Twee meisjes hebben nog krulspelden in en de slaperig gedraaide figuren zijn weinig symmetries. Over twaalf uur is het donker en branden de lampionnen, dan durven ze wel wat hoger met hun benen.

Wij krijgen zes cognacjes aangeboden. Van de loodgieters. Omi heeft nu oogcontact met de man in het gele T-shirt. Zij heft haar bloezende armen en roffelt op een denkbeeldige trommel. Ze maakt ook nog twee schoolslagbewegingen. Hij lacht, neemt haar feestgebaar over en trommelt terug.

– Geef mij er ook eens eentje, fluistert Bar.

– Nee, zeg ik streng, ze zijn voor Omi. En trouwens ik heb ze niet bij me.

– Als we deze op hebben dan moeten we stoppen hoor, waarschuwt mijn schoonvader. Wanneer we hier vanavond weer naartoe willen, dan moeten je moeder en ik eerst nog even gaan slapen. En Omi zeker!

– Ach man, rot op! elleboogt Omi; ik heb de hele nacht geslapen!

Ik moet haar een beetje in de gaten houden; zij probeert nu de ober te roepen.

– Pa heeft gelijk jongens, zeg ik, we gaan terug naar het château. Even later tuffen we de hoofdstraat weer uit, stapvoets en achter het majorettencorps aan, totdat dit rechtsaf slaat. Al die tijd hebben mijn schoonvader en ik naar het zelfde paar billen gekeken.

Op het kasteel zoekt iedereen zijn kamer op, behalve Omi, die nog een kopje thee wil.

Bar en ik nemen haar mee naar de keuken. Zonder hulp bestijgt zij de trap.

– Waar is je stok? vragen wij geschrokken.

– Op dat terras laten staan, zegt ze achteloos, maar die halen we vanavond wel op. Het staat zo aanstellerig, die stok. Ik voel me er net zo'n oud wijf mee.

– Voor dat mannetje, fluistert Bar. Op de eerste overloop houdt Omi halt. Ze steekt haar vinger op.

– Rats! zegt ze.

– Rats? vraag ik.

– Een piepzak die je kunt eten. Rats! Als je in de rats zit, dan zit je in je piepzak. Rats, kuch en bonen, wat de soldaten aten!

– Je voelt je wel goed hè Omi? tast Bar.

– Prima tegen de warmte zijn die pillen hè? vraag ik.

– Die pillen? smaalt Omi; nou, daar merk ik anders niks van. Zonde van het geld. En ze gaat aan de keukentafel zitten en herinnert zich nog net op tijd dat ze dan gottogottogot moest zeggen.

Dan vergeet ik mij; ook omdat ik een beetje last heb van matineuze boosdrink.

– O nee? teem ik sarcasties, merk je er niks van? Nou dan stoppen we toch zeker onmiddellijk, met die klerepillen?

En ik trek het buisje uit mijn broekzak en gooi het, zonder om te kijken, over mijn schouder en door het openstaande raam naar buiten.

Omi verstijft; haar mond vernauwt zich. Woest blijf ik terugkijken, wat me moeite kost: het tegen-shot (buisje tabletten vliegt, eenhoog, uit raam van een kasteel) is onweerstaanbaar geestig.

In de hete stilte wachten we gedrieën op een plofje. Dat komt niet; het gras is te hoog.

– Dan niet Omi, dan niet! Mij best! brul ik en ik been de keuken uit, naar onze kamer, waar ik mij filmisch op bed werp.

– Ja sorry hoor, maar nou geef ik het op, zeg ik tegen mijn binnenstappende vrouw.

– Je had gelijk, zegt ze; en het is wel eens goed.

– Wat doet ze nu?

– Koppie thee. En ze wou nog een croissantje. Maar we gaan ze wel even zoeken, want je ziet hoe het werkt.

– Ze moeten vlak naast de boom zijn gevallen, bereken ik en ik ga naar het raam en speur het geelverdroogde grasveld af. Mijn vrouw slaat haar arm om mijn heup en zoekt mee.

Dan zien we Omi de deur uitkomen. Ze daalt achterwaarts de drie treden af en begint, haar hoofd gebogen, behoedzaam door het gras te schuifelen.

– Dat geeft niks hoor jongen, zegt Bar zachtjes.

– Wat?

– Dat geeft niks hoor jongen, herhaalt ze, nu met de vibrerende stem van haar grootmoeder.

– Ach Jezus ja, zucht ik.

We zouden met haar uit eten gaan toen ze vijfenzeventig werd. Niet alleen buiten de deur, maar, nog feestelijker, buiten de stad. In een tot oudhollands restaurant omgetimmerde boerderij aan de Schie. Het Kofschip of Bij Tante Betje, iets in die geest. Om Omi feestelijk voor te bereiden zei ik: nou gaan we straks met de hele familie gezellig eten in een heeeeeele oude boerderij, Omi! Ze zat al twee uur klaar, in haar mooiste jurk, met drie kettingen om, en zes ringen aan, en haar tas recht op schoot en toen zei ze: dat geeft niks hoor jongen.

Nu staat ze stil en zet haar leesbril op.

– Ze kan er niet bij als ze ze vindt, fluistert Bar; ze kan ze nooit pakken, want ze kan niet bukken. Ze kan geeneens een bloem meer plukken.

We zien Omi aarzelen en horen haar mompelen. Staat ze wel op de goede plek? Langzaam draait ze haar hoofd om en stijfjes kijkt ze naar boven: welke van die twintig ramen was het nou? Dan ziet ze ons hangen en vouwt ze vlug een glimlach.

– Joehoe! wuift ze.

– Joehoe! zwaaien wij terug.

– Dat jullie binnen blijven met dat mooie weer! roept ze. En zij wijst weids om zich heen, waarbij zij even wankelt.

– Ja, ik kom! roep ik terug; wacht! Ik kom je helpen!

Ik zoek aan de voet van de boom. Omi's armen hangen hulpeloos in mijn blikveld. Het patroon van de gezwollen aderen op de rug van haar hand is in grote lijnen gelijk aan de loop van deze bovengrondse boomwortels; zij zullen even oud zijn. Als ik het buisje heb gevonden, tatata ik de eerste regel van de Marseillaise. Omi lacht en wil me zoenen, voor het eerst sinds een week. Ik steek haar mijn wang toe. Boven in het raam begint Bar te applaudisseren.

– Ik ben dom, zegt Omi zachtjes.

– Je bent lief, verbeter ik.

– Nee ik ben dom, houdt ze vol. Weet je nog hoe ik toen in maart tot twee uur ben opgebleven, om de klok een uur vooruit te kunnen zetten?

– Dat is helemaal niet dom, zeg ik, ik begrijp er zelf ook geen snars van, van die zomertijd.

Het is nu half vier in de middag van de veertiende juli. De volwassenen hebben gesiëstaad en zitten in frisse kleren vol ontroerende kofferkreukels te wachten op ons terras, klaar om terug naar Lasalle te gaan.

Niet te vroeg, heb ik met mijn schoonvader afgesproken, anders duurt het zo lang voor we kunnen eten. Om half vijf zullen we eerst nog een glaasje drinken.

Omi heeft haar blootste jurk aan. Zij heeft zojuist haar tweede halve Euforidrine gekregen.

– Zeg maar niks tegen je moeder, zei zij, voor ze hem doorslikte.

Ze zit aan de uiterste rand van het terras, op een keukenstoel en ze tuurt in de richting van het feest.

– Ik geloof dat ik muziek hoor, zegt ze, zonder naar ons om te kijken.

Mijn schoonvader zit, tot in de puntjes verzorgd en met zijn witte pet op, naar het dal te staren.

– Steeds bij twintig raak ik de tel kwijt, zucht hij, ik denk dat het er wel dertig zijn: dertig verschillende kleuren groen. O o o wat is het hier mooi!

– Zulke inkomsten komen uit het lichaam, spelt mijn moeder. Acht letters. Piekerend laat ze haar van zonne-olie zwartgeworden bijvoegsel zakken.

Naast mij zit Bar te lezen; Colette. Haar linkerhand glijdt heen en weer over de mijne, als laat ze hem in een vijvertje bungelen.

Kasper draait zich van zijn buik op zijn rug, krikt zijn bovenlichaam op zijn ellebogen en controleert, met drie kritiese onderkinnen, hoeveel bruiner zijn borst vandaag weer is geworden. Precies mijn vader, zoals hij nu kijkt. En goddank net zo breed gebouwd. Kim ligt, op haar buik, een brief te schrijven. Ze heeft haar lange benen over elkaar geslagen en als ze even niet weet hoe ze verder moet, wipt haar bovenste voet om woorden.

Zij heeft mijn schoonmoeder haar flesje nagellak geleend en die behandelt er neuriënd haar tenen mee. Dan kun je ze vanavond zien in het donker, had haar kleindochter verzekerd.

Ik doe niks. Heb gisteren maar weer eens een nieuw notitieboekje gekocht. Het ligt opengeslagen te wachten, op de leuning van mijn ligstoel. Lege ruitjes. Fransen houden niet van lijntjespapier, ze rekenen liever dan ze schrijven.

    – Pap? vraagt Kim, onzeker.

    – Ja heerlijkheid, wat is er?

    – Was God eigenlijk een Nederlander?

    – Reken maar van yes, zeg ik.

    – God bestaat niet! roept Omi. Zullen we gaan?